JUROS, MOEDA E ORTODOXIA

André Lara Resende

JUROS, MOEDA E ORTODOXIA

Teorias monetárias e controvérsias políticas

Copyright © 2017 by André Lara Resende

A Portfolio-Penguin é uma divisão da Editora Schwarcz S.A.

Grafia atualizada segundo o Acordo Ortográfico da Língua Portuguesa de 1990, que entrou em vigor no Brasil em 2009.

CAPA Rodrigo Maroja
PROJETO GRÁFICO Mateus Valadares
PREPARAÇÃO Lígia Azevedo
REVISÃO Ana Maria Barbosa e Dan Duplat

Dados Internacionais de Catalogação na Publicação (CIP)
(Câmara Brasileira do Livro, SP, Brasil)

Resende, André Lara
Juros, moeda e ortodoxia: teorias monetárias e controvérsias políticas / André Lara Resende. —
1ª ed. — São Paulo : Portfolio-Penguin, 2017.

ISBN 978-85-8285-051-0

1. Economia 2. Finanças 3. Inflação (Finanças)
4. Juros 5. Política econômica 6. Política monetária
I. Título.

17-04296   CDD-332.46

Índice para catálogo sistemático:
1. Política monetária : Economia   332.46

5ª reimpressão

Todos os direitos desta edição reservados à
EDITORA SCHWARCZ S.A.
Rua Bandeira Paulista, 702, cj. 32
04532-002 — São Paulo — SP
Telefone: (11) 3707-3500
www.portfolio-penguin.com.br
atendimentoaoleitor@portfoliopenguin.com.br

*Todo amordaçamento de um debate é
uma suposição de infalibilidade.*

*Não só os fundamentos da opinião são esquecidos
na ausência do debate, mas muito frequentemente
o próprio significado da opinião. [...] Em vez de
uma vívida concepção e uma crença viva, se tornam
apenas umas poucas frases, guardadas por repetição;
ou, se tanto, só a concha e a casca do significado
são mantidas, e sua fina essência, perdida.*

John Stuart Mill, *Sobre a liberdade*

SUMÁRIO

Introdução 9

1. Linhas mestras: Gudin e Simonsen 19
2. A teoria monetária: Reflexões sobre um percurso inconclusivo 49
3. A caminho da economia desmonetizada 85
4. Juros e conservadorismo intelectual 111
5. Teoria, prática e bom senso 121
6. Dominância fiscal e neofisherianismo 129

Conclusão: Formalismo e ortodoxia 143

Agradecimentos 163
Notas 165
Referências bibliográficas 181

INTRODUÇÃO

ESTE NÃO É BEM o livro que eu pretendia escrever. Meu objetivo, nos dois anos em que estive na Universidade Columbia, em Nova York, era fazer uma revisão crítica das ideias que pautaram a política monetária e o combate à inflação no Brasil. O ponto de partida seria a controvérsia entre Roberto Simonsen e Eugênio Gudin, no crepúsculo do Estado Novo de Getúlio Vargas, até chegar ao Plano Real. O fio condutor seria a tese de que a teoria monetária predominante, aquela que é ensinada nas grandes escolas de economia, foi sempre incapaz de compreender o fenômeno da inflação crônica. A tese não é nova. Esse sempre foi o argumento dos teóricos das chamadas inflação estrutural, inflação de custos, ou inflação inercial, as diferentes denominações dadas ao longo de várias décadas para os processos inflacionários crônicos, em que a inflação se mantém acima de dois dígitos ao ano de maneira prolongada, sem regredir aos níveis considerados aceitáveis. Nova seria a tese de que as tentativas de estabilizar a inflação crônica com base na ortodoxia monetária tiveram custos ainda mais altos do que os conhecidos. Além de recessão e desemprego, terminaram por provocar uma desconfiança atávica em relação ao liberalismo tecnocrático daqueles que tentaram, sem sucesso, estabilizar a inflação. Os custos políticos de longo prazo podem ter sido ainda mais altos do que os econômicos e sociais.

Foi uma nova controvérsia — suscitada a partir da publicação de um artigo meu no jornal *Valor Econômico*, em janeiro de 2017, acerca de pontos que estão sendo discutidos na fronteira da academia americana e sua relação com a questão das taxas de juros no Brasil — o que me levou a rever a proposta original para o livro. Ao contrário do que eu imaginava, o apelo da ortodoxia monetária continua tão forte como sempre foi. Dada a evolução da teoria monetária, trata-se agora de uma nova ortodoxia baseada na combinação de metas para a inflação com uma regra para a taxa de juros. Achei que valeria a pena reunir em livro os ensaios sobre a velha ortodoxia e os artigos relativos à polêmica dos juros, que questionam a nova ortodoxia.

O ensaio que abre o volume, "Linhas mestras", reexamina as teses de Simonsen e Gudin, formuladas nos momentos derradeiros do Estado Novo. A Controvérsia do Planejamento, nome pelo qual ficou conhecida a polêmica, transcende a questão específica do planejamento e também seu contexto histórico. Relida hoje, não só é de surpreendente atualidade, como parece ter pautado todo o debate sobre a política econômica no Brasil. Os diagnósticos, os desafios e as duas grandes visões de mundo que dominaram o debate político e econômico no país, desde o início da segunda metade do século xx, têm ali suas raízes clara e inequivocamente estabelecidas. É efetivamente o ponto do qual se deve partir para compreender as duas grandes linhas de pensamento que desde então competem pela formulação das políticas públicas.

INTRODUÇÃO

Para melhor organizar minhas ideias sobre a ortodoxia monetária que inspirou a tecnocracia liberal ilustrada brasileira, da qual Gudin é o primeiro expoente, fui obrigado a refazer o caminho por ela percorrido, desde o início da segunda metade do século XX até os dias de hoje. Atualmente, nada mais na teoria monetária dominante lembra aquela que inspirou Gudin e seus discípulos. Houve uma extraordinária reviravolta. Este processo começou na segunda metade dos anos 1980 e se consolidou definitivamente no início do século XXI.

O segundo ensaio aqui publicado, "A teoria monetária: Reflexões sobre um percurso inconclusivo", revê a trajetória da teoria monetária desde o domínio absoluto da Teoria Quantitativa da Moeda durante grande parte do século XX até ela começar a ser silenciosamente deixada de lado em meados da década de 1980. A partir de então, a macroeconomia foi para o extremo oposto, abandonou o monetarismo quantitativista sem que nenhuma teoria monetária alternativa ocupasse seu lugar. A moeda, assim como toda e qualquer questão monetária, foi simplesmente banida dos modelos macroeconômicos chamados de modelos do Real Business Cycle (RBC). A hipótese clássica de que a moeda não afeta a economia real no longo prazo foi levada ao paroxismo. Passou-se a considerar como líquido e certo que as questões monetárias também não afetavam a economia real no curto prazo. Eram simplesmente irrelevantes e poderiam ser desconsideradas. A tese é tão absurda, tão evidentemente contrária à realidade dos fatos, que os modelos do RBS foram aos poucos substituídos pelos modelos conhecidos como dinâmicos estocásticos de equilíbrio geral (DSGE, sigla de Dynamic Stochastic General Equilibrium). Nesses modelos, conhecidos como neokeynesianos, mas inspirados sobretudo na revisão da macroeconomia feita pelo livro de Michael Woodford, *Interest & Prices: Foundations of a*

Theory of Monetary Policy, de 2003, tampouco existem mercados financeiros. Sem mercados de crédito e contratos financeiros é difícil entender a inércia da inflação e os altos custos das tentativas de controlar processos inflacionários crônicos por meio da ortodoxia monetarista. É também impossível, como ficou demonstrado, imaginar crises como a que aconteceu nas economias avançadas em 2008, a partir dos empréstimos hipotecários e da altíssima alavancagem financeira. Apesar de ter dado uma reviravolta completa, começando com a troca da ortodoxia monetarista por uma nova ortodoxia em que a moeda desapareceu, substituída pela taxa de juros, a teoria monetária continua altamente insatisfatória. O ensaio conclui que é preciso reconstituir o mapa analítico da macroeconomia. Sugere alguns pontos de partida para adequar a teoria monetária às economias financeiras contemporâneas. Trata-se de um texto mais teórico, que pode exigir certo esforço do leitor não familiarizado com a macroeconomia, mas que ainda assim acredito ser perfeitamente acessível aos não especialistas interessados no tema.

Diante da conclusão de que a teoria monetária, mesmo depois da importante revolução woodforniana, continuava a me parecer profundamente insatisfatória, fui procurar ler seus primeiros críticos. O terceiro ensaio, "A caminho da economia desmonetizada", procura refazer o percurso das ideias que pautaram a teoria monetária desde o século XVIII na Inglaterra. Volta a examinar o impressionante domínio do quantitativismo monetário no século XX e sustenta que, com a economia contemporânea a caminho de se tornar uma economia desmonetizada, integralmente escritural, mais do que nunca é preciso reformular a teoria. Para mim fica claro que a raiz dos duradouros e sistemáticos equívocos da teoria monetária está no apego à materialidade da moeda. Uma obsessão que sempre esteve associada à defesa de que a moeda fosse lastreada e conversível em alguma coisa que tivesse valor intrínseco. O padrão-ouro foi, depois de muita controvérsia, finalmente abandonado no início do século XX, mas a incapacidade de compreender que a moeda é essencialmente uma convenção social, algo que apesar de sua inegável funcionalidade não tem necessariamente um valor intrínseco, continuou até muito recentemente a contaminar a ortodoxia monetária.

A teoria monetária é indissociável de seu contexto histórico e institucional. Foi desenvolvida em íntima associação com a história do sistema monetário e financeiro inglês, sobretudo a partir dos debates, entre bulionistas e antibulionistas, em torno da interrupção da conversibilidade da libra em ouro, de 1797 a 1821. Enquanto os bulionistas criticavam o fim da conversibilidade e defendiam sua restauração, os antibulionistas sustentavam que a moeda poderia ser puramente fiduciária, dispensando seu lastro metálico. Os bulionistas saíram vitoriosos. A vinculação entre moeda e seu lastro metálico, a materialidade da moeda-mercadoria, em contraposição à moeda puramente fiduciária, se tornou peça essencial da teoria monetária estabelecida. Os antibulionistas foram praticamente esquecidos até serem resgatados, no final do século XIX e início do XX, pelo economista sueco Knut Wicksell. Em seu clássico *Interest and Prices* (*Geldzins und Güterpreise*), Wicksell se propõe a criticar a Teoria Quantitativa da Moeda, cuja validade para ele estaria restrita às economias nas quais o sistema financeiro fosse pouco desenvolvido. Para Wicksell, nas economias com sistemas financeiros desenvolvidos, a criação e destruição da liquidez é endógena, e a quantidade de moeda não está sob o controle dos Bancos Centrais. O processo de expansão cumulativa e depois de destruição do crédito seria endógeno, comandado pela dinâmica entre a taxa nominal e a taxa "natural" de juros, ou seja, entre a taxa financeira e a taxa de retorno real dos investimentos. Apesar do interesse despertado por seu livro nos anos 1920, quando foi traduzido e publicado em inglês, Wicksell nunca foi incorporado à ortodoxia macroeconômica. Apenas cem anos depois, na última década do século xx, quando finalmente se reconheceu que a variável sob controle dos Bancos Centrais não era a quantidade de moeda, mas sim a taxa de juros, Wicksell voltou a ser lembrado. O ensaio conclui que, diante do avanço dos sistemas de pagamentos eletrônicos, integralmente escriturais, e o fim da moeda física, tanto a teoria como a prática da política monetária deverão ser repensadas. Wicksell é um ponto de partida fecundo para essa urgente revisão.

Os textos "Juros e conservadorismo intelectual" e "Teoria, prática e bom senso" também foram publicados no jornal *Valor Econômico*. Como já disse, foi a surpreendente repercussão provocada por esses artigos o que me fez concluir que a questão dos custos da ortodoxia monetária ainda não pertence à história, como eu supunha ao programar um livro que abrangesse da controvérsia entre Simonsen e Gudin ao Plano Real. Continua a ser da mais alta atualidade. Mais do que nunca, parece servir de divisor de águas entre as duas grandes visões de mundo a respeito da condução das políticas públicas. Diante da celeuma provocada em torno da possibilidade de que as altas taxas de juros praticadas no Brasil possam ter sido contraproducentes e ter impedido a queda da inflação, fui convidado a debater o tema com um grupo selecionado de macroeconomistas.

O texto "Dominância fiscal e neofisherianismo" foi preparado para esse debate, que ocorreu na Casa das Garças, no Rio de Janeiro. Procura explicar, da forma mais simples possível, a chamada Teoria Fiscal do Nível de Preços e sua relação com a questão da dominância fiscal. Expõe a chamada hipótese neofisheriana, a controvertida tese segundo a qual a inflação no longo prazo converge para a diferença entre a taxa nominal e a taxa real de juros de longo prazo. Controvertida porque, como no longo prazo a taxa real de juros é dada, a taxa de juros nominal, fixada pelo Banco Central, seria o fator determinante da taxa de inflação no longo prazo. As taxas nominais de juros fixadas pelo Banco Central de alguma forma balizariam as expectativas de inflação. Trata-se de uma surpreendente inversão, que ainda está por ser comprovada, do que ensina a macroeconomia convencional. De toda forma, a hipótese tem as melhores credenciais acadêmicas, é derivada do que há de mais avançado em termos da teoria macroeconômica. Pareceu-me que merecia ser discutida, especialmente diante da perplexidade causada pelas altíssimas taxas de juros no Brasil desde a criação do real.

O texto que encerra o livro, "Formalismo e ortodoxia", faz um apanhado do caminho percorrido pela macroeconomia desde Keynes até os dias de hoje. Sustenta que a teoria macroeconômica contemporânea se defronta com um impasse: o preço da formalização matemática que lhe dá respeitabilidade, que lhe serve de credencial para ditar políticas públicas, foi a perda de contato com a realidade. A excessiva pretensão de mimetizar as ciências exatas levou-a a um beco sem saída, a uma excessiva formalização estéril, deixando os *policy-makers*, sobretudo os Bancos Centrais que nunca tiveram tanto poder e tanta responsabilidade, sem mapas conceituais. Tenho a impressão de que a contraditória coincidência do auge do poder político dos Bancos Centrais com o pico de irrealismo da macroeconomia está por trás da enorme repercussão dos meus artigos no *Valor*. Com o sucesso do Plano Real, que paradoxalmente exigiu o abandono da ortodoxia monetária, os tecnocratas liberais, descendentes intelectuais de Gudin, formados nas melhores escolas do Primeiro Mundo, tinham reconquistado a primazia na formulação da política econômica. Foram, mais uma vez, obrigados a recuar com a volta do desenvolvimentismo durante os governos do PT. Os fundamentos da catastrófica "nova matriz econômica" dos economistas petistas remontam à tradição estatal desenvolvimentista da proposta de Roberto Simonsen. A crítica, formulada há mais de sete décadas por Gudin à proposta de Simonsen, aplica-se integralmente à política econômica dos governos do PT, sobretudo a partir do segundo mandato de Lula, iniciado em 2007, quando o liberalismo ilustrado foi obrigado a recuar. Curiosamente, mesmo durante a radicalização dos anos de Dilma Rousseff, a condução da política monetária continuou a ser formulada pela tecnocracia liberal. Assim como a equivocada ortodoxia monetária tinha derrotado politicamente a tecnocracia liberal, o sucesso do Plano Real garantiu-lhe o direito de continuar no controle da política monetária até mesmo durante a fase mais aguda do populismo desenvolvimentista dos governos do PT.

A condução da política monetária é hoje a última trincheira do liberalismo tecnocrático. O questionamento do arcabouço teórico que lhe confere legitimidade não é entendido como um questionamento meramente intelectual, mas como uma ameaça política. Diante da gravidade da crise político-institucional por que passa o país, levantar a possibilidade de que o arcabouço conceitual da ortodoxia macroeconômica possa estar equivocado ameaça, assim, a legitimidade da última trincheira da tecnocracia liberal ilustrada. Por isso mesmo, mais do que nunca, é preciso que se compreendam as questões envolvidas no debate macroeconômico. Apesar da elaborada formalização matemática sob o qual a teoria monetária se defende dos não especialistas, as grandes questões envolvidas não podem ficar restritas à discussão entre especialistas. São questões de políticas públicas da mais alta relevância, que precisam ser compreendidas pelo grande público. Acredito que a desmistificação da teoria macroeconômica e a ampliação do debate contribuiria tanto para a melhor formulação de políticas como para tirar a macroeconomia do impasse em que se encontra. É o que procuro fazer nos ensaios aqui reunidos.

1
Linhas mestras: Gudin e Simonsen[1]

A consciência do atraso

AO FINAL DO ANO de 1944, quando a Segunda Guerra dava sinais de que estava por terminar, no Brasil discutia-se uma reformulação estratégica do país. O momento clamava por uma nova proposta para a segunda metade do século XX. A democracia saía da guerra vitoriosa e uma nova ordem internacional era discutida em Bretton Woods. A ditadura do Estado Novo de Getúlio Vargas estava sob pressão para convocar eleições gerais. Havia a consciência de que o país tinha ficado para trás e que era preciso um esforço para recuperar o atraso. A guerra havia reduzido a disponibilidade de produtos importados, provocado uma industrialização incipiente no estado de São Paulo, mas continuávamos a ser uma economia primordialmente primário-exportadora, altamente dependente do café.

A melhor forma para superar a economia agrário-exportadora e acelerar a industrialização estava em discussão desde o início dos anos 1930. O Conselho Federal de Comércio Exterior foi o primeiro órgão criado com efetiva capacidade de atuação nesse sentido. Criado em 1934 para regulamentar e controlar o comércio exterior, assumiu aos poucos o papel de coordenador da economia. Presidido pelo presidente da República, tinha entre seus membros os titulares dos mais importantes ministérios, o presidente do Banco do Brasil, representantes das classes produtoras e "pessoas de reconhecida competência". A política econômica passa a ser discutida como forma de reorganizar a economia, não mais limitada às questões cambiais e creditícias de interesse da lavoura. Em 1942, a Missão Cook, enviada pelos Estados Unidos ao Brasil para auxiliar o país no seu esforço de guerra, concluíra que a industrialização e a infraestrutura eram o caminho para o progresso. Entre novembro e dezembro de 1943, realiza-se o I Congresso Brasileiro de Economia, nas dependências da Associação Comercial do Rio de Janeiro. Em 1944, ocorre em São Paulo o I Congresso Brasileiro da Indústria e, em seguida, em 1945, a I Conferência Nacional das Classes Produtivas (Conclap). Esses encontros refletiam o novo papel adquirido por industriais, intelectuais e funcionários na vida pública brasileira durante os anos 1940. Com o fim da Segunda Guerra e a perda de sustentação do Estado Novo de Vargas, enquanto os industriais tomam consciência corporativa da necessidade de defesa de seus interesses, surgem os primeiros economistas — intelectuais, homens práticos e funcionários públicos —, que passam a refletir e discutir os caminhos para estimular a economia e desenvolver o país.

A consciência do atraso, tanto econômico quanto político e institucional, estimulava a discussão e a formulação de propostas para reorganizar a economia e levar o país a dar um salto à frente. Embora houvesse amplo consenso sobre os objetivos, em relação a como organizar e financiar o esforço de modernização, a questão estava longe de ser resolvida. O conflito entre o corporativismo industrial e o liberalismo já estava latente. Foi nesse contexto que se deu o debate, entre dois expoentes da vida pública e intelectual da época, a propósito da melhor forma de conduzir o esforço de desenvolvimento — embora o termo ainda viesse a ser cunhado — econômico e social do país. A aguerrida controvérsia entre Roberto Simonsen e Eugênio Gudin é um debate de surpreendente atualidade, que pautou toda a discussão de política econômica no Brasil, desde o pós--guerra até os dias de hoje.

Simonsen (1889-1948), nascido em Santos, ingressou na Escola Politécnica de São Paulo com apenas catorze anos e concluiu, com louvor, o curso de engenharia civil em 1909. Começou a trabalhar como engenheiro-chefe da Comissão de Melhoramentos do Município de Santos, cargo do qual se afastou para fundar, em 1912, a Companhia Construtora de Santos, pioneira em planejamentos urbanísticos e responsável pela execução das obras de pavimentação da cidade, além da construção de alguns marcos urbanos, como os prédios da Bolsa do Café, da Associação Comercial e da Base Naval. Adepto da administração racional, divulgador do taylorismo, criou a Companhia Santista de Habitações Econômicas, para a construção de casas para operários, e a Companhia Brasileira de Calçamentos. A partir da construção civil, tornou-se empresário industrial de sucesso. Foi também professor, autor de diversos ensaios e vários livros, entre eles uma história econômica do Brasil.

Gudin (1886-1986), carioca, formou-se como engenheiro civil na Escola Politécnica do Rio de Janeiro, em 1905. Recebeu a medalha Gomes Jardim, de melhor aluno da escola. Trabalhou em diversas empresas de engenharia, contratadas para obras públicas em vários estados do Brasil, até se tornar diretor de uma companhia de capital inglês, a Great Western of Brazil Railways Co., da qual foi diretor por quase trinta anos. Interessou-se pela economia, estudou os clássicos e familiarizou-se com os autores contemporâneos, tornando-se uma reconhecida autoridade na matéria. Participou da constituição da Sociedade Brasileira de Economia Política, que reunia estudiosos interessados na criação de uma escola de economia no Rio de Janeiro, que foi inaugurada em 1938. Aprovado em concurso para a cátedra de moeda e crédito, tornou-se o primeiro catedrático de economia da Faculdade de Ciências Econômicas e Administrativas, da qual viria a ser também diretor.[2]

Tanto Gudin como Simonsen tinham ativa participação na vida pública. Gudin não havia conseguido se eleger deputado constituinte pelo Distrito Federal, em 1933, enquanto Simonsen fora indicado como representante classista patronal da indústria e chancelado pelo governo provisório para a assembleia constituinte. Eram ambos membros atuantes dos grupos de discussões econômicas, assim como dos inúmeros foros criados no aparato burocrático do Estado Novo, que procuravam orientar a ação do Estado durante os anos da guerra na Europa. Participaram do Congresso Brasileiro de Economia, em 1943.

Em 1944, já em um ambiente de discussão sobre o planejamento e a coordenação econômica, foram criados o Conselho Nacional de Política Industrial e Comercial (CNPIC), vinculado ao então poderoso Ministério do Trabalho, Indústria e Comércio, assim como a Comissão de Planejamento Econômico (CPE), subordinada ao Conselho de Segurança Nacional. Roberto Simonsen, membro atuante do CNPIC, foi o relator de uma proposta de planificação da economia, apresentada em agosto de 1944. Na teia do corporativismo burocrático do Estado Novo, talvez refletindo a ambiguidade e a matreirice de Vargas, a proposta foi então encaminhada à CPE, subordinada ao Conselho de Segurança Nacional. A Comissão indicou

Eugênio Gudin, já então conhecido por sua posição contrária ao planejamento econômico, como relator para o exame da proposta de Roberto Simonsen.

A proposta de Roberto Simonsen, submetida ao CNPIC em 16 de agosto de 1944, partia do diagnóstico de que o Brasil havia ficado para trás na corrida econômica. A partir de uma estimativa da renda nacional, feita por uma equipe do Ministério do Trabalho, concluía-se que a renda do país era inferior a $\frac{1}{25}$ da renda dos Estados Unidos. Para reverter o quadro de estagnação e pobreza, Simonsen propunha "quadruplicar a renda nacional, dentro do menor prazo possível", através de um "gigantesco esforço, de uma verdadeira mobilização nacional, numa guerra ao pauperismo, para elevar rapidamente o nosso padrão de vida", sem o que estaríamos "irremediavelmente condenados, em futuro próximo, a profundas intranquilidades sociais".

Simonsen partia do princípio, amplamente aceito entre os envolvidos nas discussões à época, de que o caminho para acelerar o crescimento era a industrialização. Citava o relatório da Missão Cooke, segundo a qual a industrialização do país, "sábia e cientificamente conduzida", com um melhor aproveitamento de seus recursos naturais, era o meio para alcançar o progresso desejado por todos. Era preciso acelerar o crescimento da renda, e a industrialização era o único caminho para viabilizar essa aceleração. Até aí não havia discordância. O que Simonsen trazia de novo à discussão não era a proposta de industrialização, mas a tese de que não era possível depender apenas da iniciativa privada para promovê-la. Para Simonsen, o esforço de industrialização deveria ser liderado pelo Estado, a partir da "planificação de uma nova estruturação econômica". Dado o que ele afirmava ser uma reconhecida insuficiência, em vários setores, da iniciativa privada, a ação direta do Estado era defendida como fundamental e indispensável. O planejamento plurianual da economia e o esforço de aceleração do crescimento através da industrialização deveriam ser conduzidos pelo Estado, em cooperação com as classes produtoras, representadas pelos sindicatos patronais e as câmaras setoriais. Não era a proposta de industrialização o que Simonsen trazia de novo, já que havia consenso sobre a necessidade de superar a economia agrícola-exportadora, e sim a ideia do planejamento e da liderança do Estado como empresário industrial. Se o elemento novo era planejamento centralizado, a proposta de Simonsen continha também um elemento inequivocamente anacrônico, no espírito autoritário corporativista do Estado Novo, que era o papel das câmaras setoriais e dos sindicatos patronais como os interlocutores do Estado.[3]

A questão fundamental, em relação ao esforço de industrialização e de aceleração do crescimento, como o proposto por Simonsen, é a de como financiá-lo. Ao propor um aumento expressivo do investimento, um programa economicamente fundamentado deve especificar também as fontes de poupança que viabilizarão tal aumento do investimento. A proposta de Simonsen desconsiderava integralmente a questão das fontes internas de poupança. Contava, de forma irreal, com a poupança externa americana, escassa e disputadíssima no ambiente de reconstrução do pós-guerra, ao afirmar que o financiamento seria negociado dentro dos moldes de cooperação econômica. Contava, portanto, com empréstimos oficiais, de governo a governo, que segundo ele seriam obtidos em condições favoráveis. Assim, supunha Simonsen, os investimentos não seriam onerados com "despesas meramente financeiras", e as amortizações seriam condicionadas ao aumento da produtividade resultante da reorganização econômica do país. Substituiu-se a necessidade de criação de poupança interna por um ingênuo e irreal otimismo quanto à viabilidade de utilização de créditos externos, que viriam a provocar crises recorrentes de balanço de pagamentos na segunda metade do século xx. A dependência da poupança externa e os persistentes déficits com o exterior não eram, entretanto, o que preocupava Simonsen, quando sugeria também barreiras alfandegárias. Estas, eufemisticamente chamadas de normas de política comercial, eram necessárias para "assegurar o êxito dos cometimentos previstos", ou seja, impedir que a competição externa inviabilizasse o esforço de industrialização estatal.

A proposta de Simonsen tinha, assim, quatro pilares: o planejamento central, a industrialização forçada, liderada pelos investimentos diretos do Estado, o corporativismo empresarial e o fechamento autárquico da economia, através de barreiras alfandegárias.

Em seu relatório à Comissão Nacional de Planejamento, de março de 1945 —incialmente de circulação reservada e em seguida publicado sob o título Rumos da Política Econômica —, Gudin foi duro em suas críticas. Começa por desqualificar a tentativa do Ministério do Trabalho de estimar a renda nacional, que serviu de base para o diagnóstico e para a proposta de Simonsen. O diretor do Serviço de Estatística da Previdência e Trabalho, Oswaldo G. da Costa Miranda, que dirigiu a pesquisa, havia cometido erros primários, subscritos por Simonsen, que demonstram desconhecimento das noções básicas de contabilidade macroeconômica. Como aponta Gudin, a estimativa da renda nacional desconsiderava os serviços e os investimentos e desconhecia a noção de valor agregado. Cometia ainda o erro grosseiro de somar as importações e deduzir as exportações do cálculo da renda nacional, quando deveria fazer o inverso. Não fosse suficiente, desconsiderava a inflação e confundia valores nominais com valores reais.

A tentativa de Simsonsen de se justificar, em sua réplica a Gudin, e, sobretudo, a carta de Costa Miranda anexada a ela não ajudaram a causa. Simonsen saiu-se melhor do que Costa Miranda, cujo estilo pomposo era tachado de literatura nefelibata por Gudin, mas sua insistência em defender a validade da estimativa da renda nacional levantada pelo Ministério do Trabalho reforçou a evidência de seu desconhecimento da matéria.

Desqualificada a estimativa da renda nacional apresentada por Simonsen, Gudin passa a fazer uma dura crítica à ideia do planejamento central. Sustentava que a mística da planificação era derivada da experiência fracassada do New Deal e das ditaduras italiana e alemã, que levaram o mundo à catástrofe, e dos planos quinquenais da Rússia, que nenhuma aplicação tiveram em outros países. Ao associar o planejamento centralizado com regimes autoritários, tanto de direita como de esquerda, Gudin sustentava a tese dos liberais austríacos, como Hayek e Von Mises, de que o planejamento central e o capitalismo de Estado são incompatíveis com a democracia. Reconhece que os capitalismos de Estado autoritários, como os de Salazar, Mussolini e Hitler, foram capazes de restabelecer a ordem política e econômica, mas invariavelmente à custa das liberdades individuais, da democracia e de tremendos sacrifícios exigidos, se não extorquidos, da população.

Para Gudin, a economia brasileira à época já era excessivamente estatizada. Se o objetivo fosse "marchar para o capitalismo de Estado, para o comunismo, o nazismo ou para qualquer modalidade totalitária, já estamos no bom caminho", dizia ele. Fez duras críticas às empresas estatais, nas quais a interferência política afugentava o capital privado, por causa do que ele chamou de "o justo receio da forçosa preponderância que o Estado exercerá na administração da empresa e na escolha de seus dirigentes", feita, em regra, sob critérios políticos. Recomendava que, com o fim das condições excepcionais do período de guerra, as empresas estatais voltassem às mãos da iniciativa privada — o que hoje se chamaria de privatização —, pois a função do Estado é a de estabelecer as regras do jogo, mas não a de jogar. A posição de Gudin, que viria a ser caricaturada como a de um liberal radical, passava longe da defesa do Estado mínimo. Pelo contrário: sustentava que nunca se precisara tanto de uma colaboração inteligente e eficaz do Estado para o progresso da economia, que deveria tomar uma série de medidas legislativas e administrativas capazes de permitir e facilitar a expansão do progresso econômico do país.

Gudin tinha clara noção da distinção entre o livre-mercado e o mercado competitivo que, até hoje, muitos dos defensores do liberalismo parecem desconhecer. Demonstrava compreender que o mercado competitivo é uma concepção abstrata e artificial, um ideal-tipo, que deveria ser utilizado para pautar a legislação e as instituições. Recomendava que se criassem instituições para evitar todo tipo de abuso econômico que pudesse afastar a economia do ideal competitivo. Para isso, propunha a criação de um organismo técnico-jurídico ao qual caberia combater "os monopólios, os trustes, os cartéis, os abusos de direitos e patentes e outras manobras de restrição da produção e de alta artificial dos preços". Foi além: compreendia que uma economia eficiente, pautada pelo mercado competitivo, dependia não só do ambiente institucional e legal adequado, mas sobretudo da educação em todas as suas dimensões. De forma clarividente, coerente com o seu ceticismo intelectual em relação a fórmulas mágicas e soluções simplistas, sustentava que não havia lei que suprisse os bons princípios da ética dos negócios, que só se adquirem através de um longo processo educativo.

A crítica de Gudin não era à industrialização, mas à industrialização liderada pelo Estado, e a qualquer custo, conforme a proposta de Simonsen. A pedra angular de sua crítica era a noção de produtividade. Com um raciocínio econômico mais elaborado, sustentava que a questão não era produzir, fosse na agricultura fosse na indústria, a qualquer custo, e sim produzir de maneira economicamente eficiente, o que dependia da produtividade. A noção de produtividade —a relação entre o produzido e a totalidade dos fatores utilizados na produção — é até hoje fonte de confusão e equívocos. Trata-se do mais importante critério de aferição da eficiência, tanto microeconômica quanto macroeconômica. O ganho de produtividade, a capacidade de produzir mais e melhor com menos, é a essência do progresso material.

A partir desse conceito, Gudin defendia a competição (tanto interna quanto externa), criticava o espírito mercantilista anacrônico, o excessivo protecionismo alfandegário e o subsídio a empresas ineficientes. Sustentava que o crescimento econômico advinha do ganho de produtividade, que requereria investimento em capital, em tecnologia e na educação da força de trabalho, num processo que só era capaz de se renovar e de se sustentar numa economia aberta, onde há competição.

Argumenta que não há como crescer sem investir e que para investir é preciso criar poupança, mas que, por sua vez, a geração de poupança esbarra na pobreza e no baixíssimo nível de consumo da grande maioria da população, criando assim um círculo vicioso. Para que esse círculo fosse rompido, seria preciso contar com a poupança e com o investimento estrangeiros, que requereriam a garantia legal e institucional de um tratamento não discriminatório.

Gudin argumentava que a proposta de Simonsen não levava em consideração o grave desequilíbrio entre o investimento e o consumo, o mau emprego dos fatores de produção disponíveis, os erros de política cometidos, agravados pelas restrições "nacionalistas e estúpidas" à imigração, assim como a ausência de ensino técnico eficiente, que seriam os fatores responsáveis pela "triste situação econômica em que nos encontramos".

A proposta de Simonsen, além do canhestro esforço do Ministério do Trabalho para estimar a renda nacional, era essencialmente um apelo para que se superassem o atraso e a pobreza, sem maiores considerações sobre as dificuldades envolvidas. Para isso clamava pelo planejamento centralizado e pela industrialização liderada pelo Estado empresário. Apesar de carecer de um mínimo de sustentação analítica, estava plantada, em sua essência, a linha mestra do que viria a ser a vertente nacional-desenvolvimentista do pensamento econômico brasileiro. Seus quatro pilares eram:

1. o planejamento central;
2. a industrialização através da ação direta do Estado empresário;
3. a economia fechada à competição externa;
4. o corporativismo.

Por sua vez, o relatório de Gudin, além da crítica detalhada ao texto de Simonsen, traz uma proposta alternativa, liberal e mais elaborada, e cuja fundamentação analítica era a ortodoxia econômica da época. Seus quatro pilares alternativos, assim como os de Simonsen, também pautaram o nacional--desenvolvimentismo e se tornaram os alicerces do liberalismo econômico brasileiro ilustrado. Eram eles:

1. regras e instituições que garantam o bom funcionamento do mercado;

2. economia aberta ao comércio e aos investimentos internacionais;
3. canalização da poupança para os investimentos produtivos, através do mercado de capitais;
4. estabilidade monetária e o controle da inflação.

A estabilidade da moeda é questão integralmente desconsiderada na proposta de Simonsen, mas condição essencial para o crescimento segundo Gudin, para quem "não há plano econômico possível no regime de desordenada inflação, em que vimos, há tanto tempo, incidindo". Gudin sustenta que a inflação é um imposto injusto, que tem "as mais sérias repercussões sociais, acumulando riquezas em favor de uma pequena classe de usurpadores [...] enquanto milhões de indivíduos são jogados à pobreza". Critica o excesso de gastos e investimentos públicos, a desconsideração pela restrição orçamentária do governo e a confusão entre moeda e capital, pois o Estado tem o poder para emitir moeda, mas não o de criar capital.

Tanto a desconsideração pela restrição orçamentária do Estado, quanto a incompreensão dos problemas causados pela inflação, evidentes na proposta de Simonsen, tiveram uma longa sobrevida no nacional-desenvolvimentismo brasileiro. A preocupação com a estabilidade monetária e com o equilíbrio fiscal tornou-se exclusividade dos liberais e foi, automaticamente, tomada como sinal de conservadorismo.

A argumentação de Gudin, não necessariamente na forma, mas na substância, resistiu ao teste do tempo e poderia ser integralmente subscrita por um economista de boa formação do início do século XXI. A sua ênfase na importância das instituições e da produtividade, na necessidade de investimentos em tecnologia e em educação, no papel renovador da competição numa economia aberta, antecipou o que viria a se tornar a visão corrente a partir do final do século XX. A importância das instituições, durante muito tempo relegada a um segundo plano pela teoria do desenvolvimento econômico, tomou lugar de destaque depois dos estudos das últimas décadas, como os que deram o prêmio Nobel de ciências econômicas a Douglas North e os de Daron Acemoglu e James Robinson, cujo livro *Why Nations Fail*[4] tornou-se um sucesso acadêmico e de público. A argumentação de Gudin na controvérsia de 1945, relida hoje, no início do século XXI, mostra-se surpreendentemente atual, muito à frente do seu tempo.

A proposta de Roberto Simonsen, ainda que desconsiderados os equívocos técnicos impiedosamente apontados por Gudin, tem elementos mais datados, como a defesa do corporativismo sindical e o fascínio pelo planejamento soviético. Faltavam a ela não apenas fundamentos analíticos, que os teóricos da Cepal viriam a suprir, mas também o senso da realidade. A ideia de quadruplicar a renda nacional num prazo de dez a vinte anos equivaleria a crescer 15% ao ano, por dez anos seguidos, ou mais de 7% ao ano, por duas décadas, sem interrupção. A desconsideração das restrições orçamentárias, a sugestão de que se obtivesse um empréstimo externo, de governo a governo, equivalente a duas vezes e meia a renda nacional, estimada pelo próprio Simonsen, são apenas mais alguns exemplos.

O apelo de Simonsen estava mais no diagnóstico. O país tinha ficado para trás, não acompanhara o ritmo dos países mais avançados. Era imprescindível um esforço coordenado para recuperar o atraso e superar a pobreza. Era preciso dar combate à miséria, aumentar o consumo e o padrão de vida do brasileiro, para então se alcançar um padrão médio de vida "compatível com a dignidade humana". A proposta de Simonsen tinha uma conotação social que não estava explícita na contraproposta de Gudin. Para o primeiro, a industrialização liderada pelo Estado seria o caminho para a virada, para recuperar o atraso, para superar o subdesenvolvimento, como viria a se dizer alguns anos depois. O clamor pela industrialização, capaz de acelerar o crescimento, aumentar o padrão de vida e reduzir a pobreza, tem evidentemente grande apelo político e emocional.

A industrialização era, para Simonsen, necessariamente uma industrialização induzida, ou forçada, pela liderança do Estado, tanto no planejamento quanto em sua ação empresarial direta. A influência de Simonsen inoculou no nacional-desenvolvimentismo brasileiro a noção de que essa era a única forma de industrialização possível. Ser contra o planejamento central e o Estado no papel de empresário industrial, como o foi desde o início Gudin, passou a ser sinônimo de ser contra a própria industrialização, portanto contra a superação do atraso. Daí a tachar a crítica a Simonsen como reacionária é um passo. Foi o que aconteceu. Enquanto Simonsen é visto como um progressista visionário, chamado do "evangelizador da civilização industrial", que "inspirou e vigiou a dolorosa e exitosa caminhada brasileira para uma pujante economia urbano-industrial",[5] na historiografia econômica brasileira Gudin passou a ser o símbolo do conservadorismo retrógrado.[6]

Além da dicotomia esquerda e direita

A controvérsia entre Simonsen e Gudin é hoje um clássico da história das ideias. Como todo clássico, é menos lido do que são as referências a ele. Mas quem se dá ao trabalho de ir aos textos originais da controvérsia tem dificuldade para entender como uma interpretação tão distorcida dos argumentos de Gudin possa ter se tornado a visão dominante. Gudin concorda integralmente com o diagnóstico de Simonsen: "As considerações desenvolvidas pelo conselheiro Roberto Simonsen [...] no tocante à debilidade de nossa economia e ao pauperismo de nossas populações são irrefutáveis". No estilo cristalino que caracteriza sua argumentação, prossegue afirmando que "não há tampouco como divergir dos objetivos gerais visados no relatório". Explicita então qual é o objetivo final da empreitada: "O da elevação do padrão de vida do povo brasileiro". Deixa claro, em seguida, onde está a essência de sua discordância: "No tocante, porém, aos métodos a adotar, à análise da conjuntura que quer remediar e aos princípios gerais que deve obedecer a política econômica, não posso acompanhar o relator". Mais uma vez, prossegue para explicitar a essência de sua discordância, afirmando que enquanto Simonsen vê no plano a solução de todos os problemas econômicos, "espécie de palavra mágica que tudo resolve", ele acredita "na análise das deficiências, das deformações e dos erros praticados em cada um dos setores da economia e no estudo da maneira de corrigi-los". Gudin admite que essa discordância pode ser meramente formal, "mais terminológica do que de fundo", e deixa claro onde está a essência de sua discordância: "Onde, porém, a divergência deixa de ser em parte terminológica para atingir os fundamentos de política econômica, é quando o ilustre relator proclama a impossibilidade de acelerar a expansão da renda nacional com a simples iniciativa privada".

Enquanto, para Simonsen, a industrialização e a aceleração do crescimento só poderiam ser viabilizadas pela ação direta do Estado, Gudin não apenas discordava, como via na proposta de Simonsen, que combinava a ação direta do Estado na economia com o planejamento central discutido com as entidades de classe, o melhor caminho para a consolidação de um regime totalitário de capitalismo de Estado. Para Gudin, a industrialização e o crescimento exigiam a criação das condições básicas para o aumento do investimento e da produtividade. A inexistência de canais institucionais de canalização da poupança, a instabilidade monetária e a falta do estímulo da concorrência eram apontados como os principais gargalos a serem enfrentados. Por isso, Gudin investe contra o corporativismo, contra a defesa dos interesses constituídos e o protecionismo alfandegário que permeiam a proposta de Simonsen: "Nitidamente divergente da orientação do relator, é ainda o meu parecer no tocante à sua constante preocupação de garantir a proteção paternalística do Estado aos 'interesses existentes' [...] a necessidade de não se prejudicarem as atividades já em funcionamento no país, com a instalação de novas iniciativas concorrentes".

É impossível, da leitura da crítica de Gudin a Simonsen, concluir que ele fosse defensor da manutenção de uma economia agrário-exportadora e contra a industrialização. Toda a argumentação é sobre a melhor forma de viabilizar a industrialização, o ganho de produtividade e o crescimento. Em relação ao potencial agrícola do país, Gudin não poderia ser mais direto quanto ao seu ceticismo. De forma bastante inusual, investe contra um dos mais arraigados clichês nacionalistas e sustenta que "não se pode dizer que a natureza tenha sido especialmente generosa para conosco em suas dádivas de terras férteis e planas [...] a nossa topografia é predominantemente acidentada e, portanto, inimiga do arado e propícia à erosão". Prossegue, sempre realista, mas correndo o risco de agravar a indignação nacionalista: "Não tivemos da natureza nenhum presente régio como as planícies da província de Buenos Aires ou da Ucrânia". E conclui afirmando que a nossa única alternativa é a industrialização e a exploração das matérias-primas naturais: "Não podemos, portanto, deixar de procurar explorar nossas possibilidades industriais e extrativas". Na resposta à réplica de Simonsen, Gudin é ainda mais direto: "Eu não faço nem nunca fiz guerra à indústria nacional. Num país montanhoso, com terras pobres de húmus e ricas de erosão, seria um contrassenso não nos industrializarmos". Não é possível ser mais claro.

Em nenhum momento os argumentos de Gudin podem ser interpretados como a favor da manutenção do país como uma economia agrário-exportadora e, menos ainda, como uma defesa de interesses dos proprietários agrícolas. É claríssimo que Gudin não considera a economia da vizinha Argentina como um modelo passível de ser reproduzido no Brasil. Ao contrário, afirma que se o Brasil insistisse em inviabilizar o aumento da produtividade, tanto na agricultura como na indústria, através de barreiras alfandegárias, "se continuarmos a expandir indústrias que só podem viver sob a proteção das pesadas tarifas aduaneiras e do câmbio cadente, continuaremos a ser um país de pobreza, ao lado do rico país que é a Argentina".

Impossível, de boa-fé, concluir que Gudin era um reacionário, inimigo da industrialização, ou mesmo um conservador.[7] Mas poderia Gudin ser tachado de liberal radical? Seria possível considerá-lo ideólogo de um *laissez-faire*, àquela altura já anacrônico, depois da Depressão dos anos 1930 e da publicação da *Teoria geral* de Keynes? Mais uma vez, não é o que se pode concluir da controvérsia. Gudin sustenta que a complexidade das economias modernas exige a revisão da regulamentação e das instituições. Afirma que o *laissez-faire* não significa que o Estado deva abdicar de sua interferência na economia, mas deve pautar sua ação pela referência, abstrata e antinatural, do mercado competitivo: "O Estado deveria impedir que a liberdade fosse utilizada para matar a liberdade". Seguramente um liberal, mas longe do liberalismo radical ingênuo que não vê papel para o Estado na economia, como fica claro em sua afirmação de que "a função do Estado liberal é a de estabelecer as regras do jogo, mas não a de jogar", ou ainda a de que "nunca precisamos tanto da colaboração inteligente do Estado para o progresso da economia". Sua oposição, esta sim ferrenha, era quanto ao capitalismo de Estado e às empresas estatais, à ação direta do Estado como empresário. Mais uma vez, demonstra uma antevisão profética ao afirmar que "a participação do Estado afugenta o capital privado, pelo justo receio da forçosa preponderância que o Estado exercerá na administração da empresa e na escolha de seus dirigentes, feita, em regra, sob critérios políticos".

A essência da discordância entre eles era ideológica, mas uma discordância ideológica que não é passível de ser facilmente enquadrada na tradicional dicotomia entre direita e esquerda, entre conservadorismo e progressismo. Nem Gudin era um conservador, nem Simonsen um homem de esquerda. A visão corporativista e autoritária de Simonsen, inspirada em Mihail Manoilesco, autor de referência da época sobre a doutrina corporativista de organização do Estado, é que poderia ser considerada reacionária em 1945, diante da derrota do nazifascismo e do ocaso do Estado Novo de Vargas. O que Gudin ataca na proposta de Simonsen não é seu elemento socialmente progressista, a preocupação de elevar o padrão de consumo, a educação e a qualidade de vida do brasileiro. Até aí estão de pleno acordo. Também não é a industrialização. Gudin nunca defendeu uma vocação agrária do país, como se tornou prevalente acreditar em certos círculos acadêmicos.[8] A discordância ideológica da controvérsia é a que contrapõe o liberalismo de Gudin à combinação de autoritarismo estatal e corporativismo de Simonsen.

Além da discordância ideológica, há uma diferença de estilo que pode ter sido importante para que Simonsen passasse à história como um patriota progressista, o paladino da industrialização, enquanto Gudin era tachado de tecnocrata conservador, o inimigo da industrialização e o defensor do atraso. O discurso de Simonsen é um manifesto voluntarista em favor da industrialização e do progresso, em que as restrições da realidade não existem, ou seriam facilmente superadas pela combinação da vontade política com a atuação direta do Estado. A proposta de Gudin é uma crítica técnica e racional ao voluntarismo dirigista de Simonsen. Enquanto o voluntarismo tem apelo político-emocional, a tentativa racional de compreender as restrições do atraso e as dificuldades para superá-lo tende a ser percebida como manifestação de um pessimismo conservador.[9]

De toda forma, a vitória de Gudin na controvérsia é incontestável.[10] Seu tom muitas vezes excessivamente irônico, até mesmo agressivo, especialmente em sua réplica à resposta de Simonsen, embora possa ter contribuído para o apelo da controvérsia, nos parece, hoje, desnecessário. Pode ter sido fruto de uma velha rixa pessoal entre notáveis, dado que eram todos os dois membros de uma pequena elite empresarial, descendentes de europeus, intelectuais cultos e intimamente ligados ao aparato burocrático do Estado Novo, pelo qual Gudin parece ter desenvolvido uma especial antipatia. Gudin recorre a seus melhores conhecimentos analíticos de economia para demonstrar equívocos primários de Simonsen na matéria, o que lhe permite consolidar sua autoridade e prosseguir numa ordenada desconstrução da proposta de Simonsen. A demonstração de conhecimentos do ferramental analítico da economia, especialmente se salpicada com algumas equações matemáticas, concede autoridade quase que imediata numa disputa com leigos na matéria. Os seguidores de Roberto Simonsen, formuladores do chamado nacional-desenvolvimentismo, só vieram a ter um arcabouço analítico para se contrapor à ortodoxia liberal de Gudin com os estudos da Cepal nos anos 1950.

Por que então, diante da vitória intelectual incontestável de Eugênio Gudin nessa controvérsia seminal, a vitória no imaginário político e acadêmico brasileiro, nos corações e nas mentes, foi integralmente de Roberto Simonsen? Muitos fatores terão contribuído para isso, como o apelo emocional e político do voluntarismo de Simonsen em contraponto à racionalidade cética de Gudin, ou a elegância de industrial progressista de Simonsen justaposta à falta de charme tecnocrática de Gudin.[11] Mas o ponto fundamental para o descrédito do liberalismo ilustrado de Gudin foi sua justificada preocupação com a inflação. Infelizmente, tanto para ele como para o país, Gudin não sabia que a teoria monetária com que trabalhava era profundamente inadequada aos processos inflacionários crônicos, como já era o caso da inflação no Brasil no início dos anos 1950.

Gudin e a moeda

O controle da inflação e a estabilidade da moeda não são questões levantadas por Simonsen na controvérsia, mas por Gudin são consideradas condição para o desenvolvimento. A segunda parte de seu texto, na qual está formulada sua contraproposta, é dividida em quatro seções, sendo a primeira justamente "O problema monetário". Depois da dura crítica à proposta de Simonsen, Gudin argumenta que "não há plano econômico possível no regime de desordenada inflação, em que vimos, há tanto tempo, incidindo".

A desconsideração de Simonsen e a ênfase de Gudin, em relação às questões fiscais e aos problemas causados pela inflação, parecem ter sidos traços genéticos transmitidos à duas correntes do pensamento econômico brasileiro. O nacional--desenvolvimentismo nunca considerou a inflação um problema mais sério. Pelo contrário, mais tarde, chegou a ver na inflação um aliado do desenvolvimento, pois permitia a transferência de recursos do setor privado para o Estado, criando assim uma poupança forçada para o financiamento do investimento público. O equilíbrio fiscal e o controle da inflação, por sua vez, sempre estiveram no alto das prioridades dos tecnocratas liberais brasileiros.

Os malefícios da inflação são claros para Gudin, que cita Bresciani-Turroni, para quem seus efeitos são análogos aos de certa moléstia que causa no corpo humano uma hipertrofia, estranha e anormal, de certos músculos, enquanto outros se atrofiam. A inflação impede as várias partes da economia de um país de se dilatarem de forma harmoniosa, de sorte que algumas se desenvolvem demais e outras de menos; o crescimento anormal das mercadorias de produção é financiado, em última instância, pela economia forçada do povo, que tem que reduzir seu consumo. E conclui chamando a atenção para o efeito distributivo perverso da inflação, que tem "as mais sérias repercussões sociais, acumulando riquezas em favor de uma pequena classe de usurpadores da propriedade nacional, enquanto milhões de indivíduos são jogados à pobreza".

Em relação às causas da inflação, Gudin não deixa dúvidas quanto a suas convicções: advêm do excesso de moeda. Era professor da disciplina de moeda e crédito da Faculdade de Ciências Econômicas e Administrativas; havia publicado, em 1943, *Princípios de economia monetária*, e era leitor informado dos textos sobre a matéria. Assim como todo o pensamento econômico à época, subscrevia a tese da proporcionalidade entre a quantidade de moeda e o nível de preços. Ao comentar que a economia estava superaquecida e inflacionada, afirma que se tratava de "um desequilíbrio entre dinheiro demais e mercadoria de menos". Logo no primeiro parágrafo de sua seção sobre o problema monetário, afirma que "as sempre crescentes emissões de papel-moeda, a multiplicação dos depósitos bancários, tomam proporções assustadoras" e apresenta evidência de que a emissão de meios de pagamentos havia mais do que quadruplicado em dez anos. Conclui então que "não é de se admirar que uma tal torrente de dinheiro, defrontando-se com a mesma produção, tenha produzido a violenta alta de preços que presenciamos. Só os ignorantes ou os inconscientes não se alarmarão com essa situação". Gudin, assim como todos os que tinham boa formação de economista à época, subscrevia a chamada Teoria Quantitativa da Moeda, segundo a qual o nível geral de preços seria função da quantidade de moeda na economia.

Os liberais no comando: um breve hiato

Até os anos 1930, o Brasil ainda não tinha passado por um processo inflacionário renitente. A inflação era praticamente inexistente no Império. O ligeiro surto ocorrido nos primeiros anos da República foi debelado pelo governo de Campos Salles. A Grande Depressão provocou colapso do preço internacional do café e, apesar da forte desvalorização do mil-réis, houve queda do nível geral de preços no Brasil entre 1929 e 1933. Só a partir da metade da década de 1930 estabeleceu-se um processo inflacionário crônico, que resistiu às inúmeras tentativas de controle, o que se transformou no principal problema econômico da segunda metade do século XX. A inflação de um dígito na segunda metade da década de 1930 subiu para próximo de 15% ao ano na primeira metade da década de 1940; arrefeceu na segunda metade da década para voltar a níveis próximos de 20% ao ano no início da década de 1950.

Durante o segundo governo Vargas, o déficit externo e as desvalorizações cambiais pressionavam a inflação. O esforço de Oswaldo Aranha, ministro da Fazenda, para debelá-la, foi derrotado pela concessão de um aumento de 100% no salário mínimo, já nos estertores do governo, alguns meses antes do suicídio de Getúlio Vargas. Com a morte de Vargas, João Café Filho assume a presidência. Apesar de heterogêneo, seu ministério, que refletia a busca de uma composição de forças, tinha um núcleo duro econômico marcadamente liberal e antivarguista. Para o Ministério da Fazenda, o escolhido foi Eugênio Gudin. O objetivo econômico do governo era o de implementar uma política econômico-financeira ortodoxa para controlar a inflação. A composição do time econômico não dava margem para dúvida. Com Gudin no comando, para a Sumoc (Superintendência da Moeda e do Crédito), embrião de um Banco Central, foi Octávio G. de Bulhões, profundo conhecedor das finanças públicas; e para o Banco do Brasil, Clemente Mariani, homem público e banqueiro experiente. Segundo Roberto Campos, jovem diplomata com formação de economista no exterior que se juntou ao time como diretor do BNDE, tratava-se de um verdadeiro *dream team*.[12]

O prestígio de Gudin junto à comunidade financeira internacional era visto como crucial para uma negociação bem-sucedida dos empréstimos externos, necessária para desafogar a situação cambial. Para Gudin, todavia, sua missão era combater a inflação.[13] Foi para o ministério decidido a adotar rigorosas medidas anti-inflacionárias. Coerente com suas convicções acadêmicas, atribuía à monetização do déficit público e à excessiva expansão de moeda e crédito as causas do processo inflacionário.[14] A escolha de Bulhões e Mariani garantia sintonia da equipe em relação a seus objetivos. Ao retornar de viagem aos Estados Unidos, Gudin anunciou o pilar de sua política anti-inflacionária, a Instrução 108 da Sumoc. As taxas de redesconto são elevadas e o recolhimento dos depósitos compulsórios do sistema bancário deixava de ser feito ao Banco do Brasil e passava a uma conta separada da Sumoc. A medida, vista como o primeiro passo rumo à criação de um Banco Central, corretamente procurava reduzir a promiscuidade entre as funções de autoridade monetária e de banco comercial exercidas pelo Banco do Brasil.[15] Ao recolher o compulsório numa conta da Sumoc, o Banco do Brasil não teria, em princípio, como utilizá-lo para expansão do crédito concedido por sua carteira comercial. A Instrução 108 da Sumoc determinou que 50% da expansão dos depósitos bancários fossem recolhidos como compulsórios. O objetivo era claro: reduzir significativamente a expansão do crédito.[16] Já fora do ministério, em comentário sobre a revogação da Instrução 108, Gudin afirma que o crédito vinha crescendo a taxas muito superiores às da produção, e que "isso assim não pode continuar, sob pena de sermos devorados por uma espiral inflacionária sem limites". O programa teve impacto imediato, com a expansão do crédito caindo para taxas inferiores a um décimo das que vinham se expandindo no ano anterior.

Com a inflação perto dos 20% ao ano e o crédito praticamente congelado, o resultado foi uma crise de liquidez que, já em novembro de 1954, levou à liquidação de dois bancos em São Paulo. A ameaça de uma corrida aos pequenos e médios bancos forçou a Sumoc a realizar operações de redesconto de emergência, que tiveram que ser renovadas em maio do ano seguinte. A crise de liquidez não ameaçava apenas os bancos, mas alastrava-se por toda a economia, com um expressivo aumento do número de falências e concordatas requeridas no Rio de Janeiro e em São Paulo no primeiro semestre de 1955.[17] As consequências profundamente recessivas do programa de estabilização monetária de Gudin são evidentes: a queda do investimento privado era da ordem de 15%; a do investimento do governo, de 8%; e a importação de bens de capital sofre uma queda de 25%. A gravidade da recessão e a crise bancária iminente levaram, no início de abril de 1955, a uma mudança de rumos. O curto período de Gudin e seu *dream team* no comando da economia encerra-se quando, atendendo à pressão paulista, Café Filho substitui Clemente Mariani na presidência do Banco do Brasil. Gudin resolve então acompanhar Mariani e deixa a Fazenda, sendo substituído pelo banqueiro paulista José Maria Whitaker.

A queda de Gudin é correntemente interpretada como fruto da insatisfação da cafeicultura paulista. A Instrução 109, de novembro de 1954, havia instituído um nível inferior de cambiais para o café, o que foi considerado pelo setor um "confisco cambial". A instrução foi revertida em fevereiro de 1955, mas a interpretação de que a insatisfação da cafeicultura levou à queda de Gudin, embora não necessariamente incorreta, parece subestimar a importância do impacto recessivo e, sobretudo, a ameaça de uma crise bancária de grandes proporções, provocada pelo congelamento do crédito com a Instrução 108 da Sumoc. De fato, assim como Gudin tivera como objetivo principal controlar a inflação, o de Whitaker fora acabar com o "confisco cambial" do café.[18] Mas seria um equívoco confundir os objetivos pessoais que imbuíam os dois ministros com as razões das circunstâncias políticas que os levaram ao poder. Gudin era a peça-chave de um ministério que, apesar do trauma do suicídio, tinha uma forte conotação antigetulista e refletia uma vontade de mudança.[19] Já Whitaker era uma reação conservadora da cafeicultura paulista, movimento que não teria tido vez num contexto em que o país clamava por um projeto de aceleração do crescimento e de renovação institucional, não fosse a ameaça de uma recessão profunda, acompanhada de uma crise bancária, consequências da política monetária de Gudin. É curioso que Gudin, o inimigo da industrialização, a quem se atribuía a defesa da economia agrícola, tenha sido derrotado pela força da cafeicultura paulista e substituído por um autodeclarado defensor da lavoura.[20] Gudin e sua equipe eram progressistas, na verdadeira acepção da palavra, enquanto Whitaker era a expressão do conservadorismo. A derrota de Gudin e de seu *dream team* foi a primeira, e talvez decisiva, derrota da tecnocracia liberal ilustrada como força progressista no Brasil. Não foi, como se tornou interpretação corrente, o poder do conservadorismo da cafeicultura que o derrotou. Derrotaram-no a recessão e a ameaça de crise bancária provocadas por sua política monetária e creditícia.[21]

O período do governo João Café Filho (24 de agosto de 1954 a 8 de novembro de 1955) é visto como um interregno relativamente desimportante entre dois governos marcantes, o segundo governo Vargas e o de Juscelino Kubitschek, mas foi decisivo para a derrota, nos corações e nas mentes, do liberalismo ilustrado. A estabilização monetária, que o liberalismo via como condição para a implantação de seu projeto, fracassou. Gudin saiu rápido, sem que a inflação tivesse sido controlada.[22]

Ele também não foi bem-sucedido como se esperava em sua missão junto aos credores externos. Os Estados Unidos não tinham interesse no financiamento de governo a governo para o Brasil. Apesar do seu prestígio e de ter sido bem recebido, as negociações com os organismos financeiros internacionais não foram fáceis. Segundo Roberto Campos, o FMI tinha processos burocráticos lentos e o Banco Mundial estava "pouco compreensivo em relação à irracionalidade brasileira de rejeitar capitais privados para o petróleo e mendigar empréstimos oficiais para sua crise de pagamentos".[23] A pressão política dos cafeicultores, que exigiam o fim do "confisco cambial", a recomposição de forças políticas para acomodar a ascensão de Jânio Quadros, eleito prefeito de São Paulo: muitos são os fatores utilizados para explicar a saída de Gudin, mas não resta dúvida de que a fundamental foi a crise provocada pela restrição de crédito.[24]

A derrota de Gudin contra a inflação foi também a derrota da tentativa de reverter o processo de transformar o Estado no principal agente de desenvolvimento, que vinha sendo gestado desde os anos 1940. Aí encerra-se a oportunidade criada, no breve hiato do governo Café Filho, para reverter o processo que levava o Estado à linha de frente da industrialização — que era a essência da proposta de Simonsen — e dar oportunidade ao liberalismo ilustrado. A vitória da plutocracia paulista no governo Café Filho, ainda que mais pragmática do que ideológica, interrompe o intervalo de alguns meses no longo processo de formação do Estado nacional-desenvolvimentista. Seu primeiro período de sucesso viria logo a seguir, no governo de Juscelino Kubitscheck.

À frente de seu tempo

Gudin foi o primeiro brasileiro com sólido conhecimento da teoria econômica. Foi um tecnocrata de primeira grandeza, não se dando aqui ao termo tecnocrata a conotação ligeiramente pejorativa que veio a adquirir, mas sim o seu sentido original, o de um homem de governo, um homem público, com a formação e os conhecimentos técnicos compatíveis com os cânones de seu tempo. Como vimos, não é exagero afirmar que, não só em sua crítica em relação aos riscos do corporativismo, do protecionismo e da ação do Estado como empresário, mas também em relação à importância da educação, das instituições, da competição e da produtividade, Gudin foi além. Mostrou-se profético tanto sobre os riscos e os equívocos que viriam a ser cometidos pela política econômica brasileira quanto sobre o que viria a ser entendido como os fundamentos do desenvolvimento.

Infelizmente, ao menos até chegar ao ministério, Gudin não havia sido capaz de superar também a ortodoxia vigente em relação à teoria monetária. Subscrevia integralmente a chamada Teoria Quantitativa da Moeda, segundo a qual a inflação é um fenômeno monetário, provocado pelo excesso de moeda e crédito. Quando ministro, procurou pôr em prática uma dura política de contração da moeda e do crédito bancário, o que provocou uma crise bancária e foi decisiva para sua saída do governo. Como veremos mais à frente, a rigidez dos contratos financeiros, de crédito, que incorporam expectativas de alta inflação, são fonte de inércia de um processo inflacionário crônico, que provocou inadimplências, quebras de empresas e, se levado às últimas consequências, crises bancárias sistêmicas.

Homem arguto e intelectualmente curioso, Gudin reviu suas convicções ao fracassar na tentativa de eliminar a inflação e estabilizar a moeda. Em seu livro *Inflação, crédito e desenvolvimento*, de 1956, no ensaio intitulado "Confusão entre causa e efeito", faz uma lúcida crítica ao monetarismo acadêmico que ele defendia até integrar o ministério: "Dentre os equívocos que em matéria econômica se têm propalado, um dos mais graves, por suas possíveis consequências, é o que considera que a causa da inflação é a emissão de papel-moeda. Ouve-se dizer que não adianta combater a expansão de crédito, porque essa expansão é um simples efeito da emissão de papel-moeda!". E prossegue: "Nenhum ministro da Fazenda emite pelo desejo de emitir. Todos emitem porque são forçados pelas circunstâncias". E conclui afirmando que são os déficits orçamentários do governo e a expansão excessiva do crédito privado que forçam a emissão de moeda. Portanto, para combater a inflação, é preciso atacar essas suas duas causas primárias, sem o que não é possível controlar a emissão de moeda.

Mesmo do ponto de vista teórico, Gudin nunca foi um quantitativista puro e duro. Nas primeiras edições do segundo volume de seu livro *Princípios de economia monetária*, ele percorre o caminho da história da teoria monetária, sempre associada ao desenvolvimento do sistema financeiro inglês, e inclina-se a concordar com os primeiros críticos da Teoria Quantitativa da Moeda, os antibulionistas e os aderentes da chamada "Banking School". Faz ainda referência ao mecanismo cumulativo de Knut Wicksell e discorre sobre a importância da taxa de juros para o investimento e a demanda agregada. Nas edições posteriores, contudo, Gudin retrocede.[25] Afirma que, apesar de ter se inclinado a concordar com os críticos do quantitativismo monetário, após melhor refletir, concluiu que o chamado *income approach*, segundo o qual a inflação não era função da quantidade de moeda, e sim da renda e da riqueza, era apenas uma versão mais complexa da Teoria Quantitativa, dado que a relação entre moeda e renda era essencialmente estável.[26] Uma pena, pois, como veremos nos ensaios que se seguem, a relação entre a moeda e a renda — a chamada velocidade de circulação da moeda — nunca foi estável, nem mesmo uma função estável de variáveis conhecidas, como se acreditou durante muito tempo, mas, ao contrário, é altamente instável sob circunstâncias extremas, podendo tender ao infinito nas hiperinflações, e a zero nas deflações.

Portanto, mesmo tendo retrocedido em sua análise crítica, pode-se dizer que também em relação à teoria monetária, ao menos depois de sua passagem pelo Ministério da Fazenda, Gudin estava à frente de seu tempo. Como se verá nos próximos capítulos, nada mais atual neste início do século XXI do que a percepção de que na raiz de um processo inflacionário está quase sempre um problema fiscal, e que as políticas monetária e fiscal são mais interdependentes do que se pretendia.

Infelizmente, mesmo depois de a Teoria Quantitativa ter sido aposentada, a política monetária continuou a ser pautada por uma ortodoxia dogmática. Agora por uma nova ortodoxia, na qual os agregados monetários desapareceram de cena, substituídos pela taxa de juros. A Teoria Quantitativa foi posta de lado, mas nunca se reconheceu que ela estava equivocada e que as políticas por ela inspiradas, ao menos no caso das tentativas de estabilizar inflações crônicas, fracassaram sistematicamente, com altos custos, não apenas econômicos, mas sobretudo políticos e sociais.

Seria pedir demais que nos anos 1950 Gudin tivesse formulado a crítica ao domínio do quantitativismo monetário que só foi abandonado a partir do início do século XXI. A lucidez e a curiosidade intelectual que o levaram a questionar, ainda que tentativamente, isolado no Brasil, a ortodoxia monetária de seu tempo são mais uma demonstração da profunda injustiça que é retratá-lo como um conservador reacionário.

2
A teoria monetária: Reflexões sobre um percurso inconclusivo[1]

Introdução

A TEORIA DA POLÍTICA monetária deu uma grande guinada no começo do século XXI. Os agregados monetários e a Teoria Quantitativa da Moeda (TQM) foram descartados e o modelo neokeynesiano se tornou seu referencial analítico. Ocorre que, sem a oferta de moeda exógena, o nível de preços fica indeterminado. As políticas monetárias baseadas em regras para a taxa de juros deixam a inflação e a deflação desancoradas, exclusivamente ao sabor das expectativas. O mundo do modelo neokeynesiano não tem moeda nem mercados financeiros, mas nas tentativas de estabilizar os processos inflacionários crônicos, assim como nos processos deflacionários, a inflexibilidade nominal dos contratos financeiros pode levar a crises bancárias.

Ao contrário de seu uso como papel-moeda, que é dispensável, como referência nominal e unidade de conta, a moeda é indispensável nas economias contemporâneas. A inflexibilidade dos preços nominais dificulta o restabelecimento do equilíbrio nos mercados, mas é parte essencial das economias monetárias. A Teoria Quantitativa da Moeda desapareceu de cena, mas não foi adequadamente sepultada. Para que possa evoluir, é preciso compreender onde e por que ela estava equivocada, em vez de sustentar que foram as circunstâncias que mudaram. Sugerem-se aqui alguns pontos de partida.

O percurso da teoria monetária, da dominância para a irrelevância

A crença em certa proporcionalidade entre o estoque de ouro e a renda nominal remonta ao século XVI, quando a entrada do ouro proveniente do Novo Mundo provocou uma alta de preços na Europa. No século XIX, a ideia ressurgiu nos escritos dos pensadores econômicos clássicos, como David Hume, mas foi Irving Fischer, na década de 1920, quem introduziu a equação quantitativa da moeda, segundo a qual o estoque de moeda na economia é proporcional ao valor de todas as transações em determinado período de tempo. A tese chegou ao cerne do debate macroeconômico quando Keynes questionou a estabilidade da chamada "velocidade da moeda" em sua *Teoria geral*. Como seu principal intuito era demonstrar que depois da Depressão da década de 1930 a política monetária seria incapaz de estimular a economia, situação que ele denominou "armadilha da liquidez", Keynes não questionou de forma direta a relação proporcional entre moeda e preços em circunstâncias normais. Ao contrário, a controvérsia provavelmente contribuiu para a difusão da Teoria Quantitativa da Moeda. O modelo IS-LM de Hicks, que se tornou o referencial da macroeconomia na segunda metade do século XX, adotou uma versão revista da TQM, em que a demanda por saldos monetários reais é também função da taxa de juros. A chamada "velocidade-renda" da moeda deixa assim de ser constante e passa ser uma função estável da taxa de juros. Isso não só deixou incólume a crença em certa proporção entre o estoque de moeda e a renda nominal como também ajudou a transformar a identidade da equação quantitativa da moeda numa teoria da demanda por moeda.

Em seu trabalho clássico sobre a história monetária dos Estados Unidos, Friedman e Schwartz argumentaram que uma equivocada política de contração da oferta de moeda foi fator crucial para o agravamento da depressão da década de 1930 e que a política monetária seria, efetivamente, um instrumento poderoso para estabilizar a renda nominal. A controvérsia das décadas de 1960 e 1970 entre monetaristas e keynesianos esteve centrada na capacidade de a política monetária afetar a renda real; não havia discordância sobre a influência da moeda na determinação do nível geral de preços e da inflação. O livro-texto de macroeconomia mais popular em fins da década de 1970, escrito por dois professores do Instituto de Tecnologia de Massachusetts (MIT), portanto insuspeitos de ser monetaristas, afirma que "para manter a igualdade entre a oferta e a demanda de moeda, as mudanças na oferta nominal de moeda devem ser acompanhadas de mudanças correspondentes nos preços. O argumento de que 'a inflação é sempre e em qualquer lugar um fenômeno monetário' é, portanto, totalmente correto como descrição do equilíbrio de longo prazo".[2] A aceitação de que a inflação é resultado do excesso de moeda — mesmo por parte de keynesianos não monetaristas — demonstra quão preponderante era a Teoria Quantitativa.[3]

No livro-texto de macroeconomia escrito por outro egresso do MIT, Olivier Blanchard, duas décadas depois, essa preponderância só foi questionada de forma superficial. Na segunda edição, o autor afirma que, "no médio prazo, a inflação é igual à expansão monetária nominal menos o crescimento normal do produto". Para ser justo, o livro-texto de Blanchard, da virada do século, já aborda de maneira abrangente questões que tinham se tornado preeminentes nas duas últimas décadas do século xx, como as expectativas racionais e a crítica de Lucas; a rigidez de preços nominais; os modelos de salários escalonados de Stanley Fischer; os custos da desinflação; e o gradualismo de John Taylor. Contudo, no resumo do capítulo sobre inflação, nível de atividade e expansão monetária, Blanchard retorna à conclusão de que a expansão monetária determina a taxa de inflação — "um aumento de 1% na expansão monetária leva a um aumento de 1% na taxa de inflação" —, e não resiste à tentação de citar o adágio friedmaniano de que "a inflação é sempre e em qualquer lugar um fenômeno monetário".[4]

Essa preponderância prolongada — por quase sete décadas — de uma teoria que nunca e em nenhum lugar correspondeu aos fatos é mesmo inquietante. E se torna ainda mais espantosa quando constatamos que nunca houve uma base teórica sólida para definir o que é moeda e por que há demanda por moeda. A moeda não tem papel a desempenhar no modelo de equilíbrio geral de Arrow-Debreu, que é a referência teórica da economia contemporânea. O modelo é inadequado para analisar preços nominais porque não tem a dimensão do tempo, é instantâneo, e toda informação é perfeitamente conhecida; em consequência, não necessita de preços nominais, só de preços relativos. Dele resulta um equilíbrio de escambo, sem referência à moeda e ao crédito. As transações intertemporais são realizadas através dos chamados "contratos contingentes", que dependem das circunstâncias. Uma vez determinados os preços relativos de equilíbrio através do modelo de equilíbrio geral de Walras--Arrow-Debreu, a moeda entra em cena como um fator exógeno, apenas para determinar o nível geral de preços nominais. Essa é a origem da referência clássica à moeda como véu.

Como, em oposição ao modelo de equilíbrio geral, na realidade existem preços nominais e moedas, é preciso ter uma explicação para isso e compreender qual é sua função. Aqui entra em cena a TQM. Ela assume, de maneira acertada, que a moeda é necessária para realizar transações. O mundo real não é instantâneo e sem fricção; é preciso tempo para produzir e comercializar; existem custos para obter informações e efetuar transações. Essas são as razões pelas quais há necessidade dos preços nominais e da moeda. A TQM pressupõe que haja certa proporção entre o estoque de moeda e a renda nominal. Mesmo que nunca tenha apresentado alicerces teóricos sólidos, a hipótese de que as transações exigiriam um nível proporcional de saldos monetários provavelmente teve um apelo intuitivo no passado. O ouro proveniente do Novo Mundo exerceu pressão sobre os preços na Europa. Afinal, foi uma transferência de riqueza do exterior para uma economia estagnada. Um aumento de riqueza sem aumento correspondente na capacidade de oferta da economia não pode deixar de pressionar os preços. O fato de o estoque de ouro coincidir com o estoque de moeda à época explica por que esse aumento de riqueza foi percebido como mero crescimento da oferta de moeda, o que levou à conclusão equivocada de que havia uma proporção entre moeda e preços. É muito mais difícil justificar essa intuição no mundo contemporâneo de unidades de contas fiduciárias e sistemas eletrônicos centralizados de liquidação e custódia. O fato de essa proporção "intuitiva" entre moeda e preços ter ido tão longe talvez se explique pela observação de Herbert Simon, citada por Daniel Kahneman (2011), de que a intuição é nada mais que o reconhecimento de informações armazenadas em nossa memória.

Vários expedientes casuísticos foram usados para justificar a demanda por moeda. A moeda foi diretamente incluída na função utilidade por Patinkin (1965); supôs-se a necessidade de pagamento antecipado de despesas em Lucas e Stackey (1987); mas nenhum desses artifícios, conforme demonstrado por Hahn (1965), é suficiente para explicar por que não prevalece um equilíbrio de escambo onde não há demanda por moeda.[5] O problema está em que o leiloeiro walrasiano é uma representação inadequada da realidade, ao supor a inexistência de custos de transações e de obtenção de informações. Não é de admirar que, nesse mundo instantâneo e sem atrito, tampouco haja lugar para a moeda e para os preços nominais.

Mesmo que se aceite, por qualquer razão, que na prática há demanda por um estoque real de moeda, M/P, isso não é suficiente para determinar o nível geral de preços. Como há combinações infinitas do estoque nominal de moedas, M, e nível de preços, P, que satisfazem a demanda por determinado estoque real de moeda M/P, a indeterminação do nível geral de preços continua a existir. A relação supostamente estável entre moeda e preços, que nunca passou no teste da realidade, é também, em termos lógicos, uma explicação insuficiente para a determinação do nível geral de preços.

Até pouco tempo atrás,[6] a teoria monetária se livrava dessa indeterminação ao supor que M era um instrumento exógeno de política monetária. A escolha de M determinaria, assim, o nível de preços. Considerando que a oferta de moeda era uma variável exógena de política monetária, o nível de preços e sua taxa de crescimento, a inflação, estavam sob o controle da autoridade monetária. Nunca houve uma base teórica coerente para a determinação dos preços nominais — em oposição à dos preços relativos — nem uma boa explicação de por que havia demanda por moeda. Em contrapartida, a presunção da oferta de moeda como instrumento exógeno de política monetária, sob controle do Banco Central, nunca foi questionada. Supunha-se que os Bancos Centrais eram capazes de imprimir moeda e criar reservas bancárias, os dois componentes da base monetária, e, portanto, controlar a oferta de moeda.

Taxas de juros, agregados monetários e indeterminação do nível de preços

Ao contrário do que se presumiu durante muito tempo, não é verdade, na prática, que os Bancos Centrais possam imprimir moeda e criar reservas bancárias de maneira discricionária. Mesmo quando tinham metas para a evolução dos agregados monetários, os Bancos Centrais sempre usaram a taxa de juros como variável de política monetária. Em fins da década de 1990, Bernanke e Mihov (1998) argumentaram que a taxa de juros de curto prazo, praticada no mercado de reservas bancárias, era, de fato, o instrumento de política monetária do Federal Reserve (Fed), o Banco Central americano. Diante da constatação generalizada de que os Bancos Centrais usavam a taxa de juros de curto prazo como instrumento de política monetária, a premissa teórica de que a oferta de moeda era a variável exógena de política monetária foi por fim abandonada. É quase sempre a teoria que orienta a prática, mas, nesse caso, foi a prática que levou à revisão do arcabouço teórico.

No passado, sob o padrão-ouro e sem emprestador de última instância, era claro que os bancos precisavam manter reservas para enfrentar a volatilidade de seus depósitos. Mas num sistema de unidade de conta puramente fiduciária, com um mercado de reservas bancárias acessível a qualquer momento e com um emprestador de última instância, não faz sentido para os bancos manter reservas acima do nível compulsório. Não há razão para manter reservas excedentes e renunciar aos juros recebidos pelas reservas quando cedidas ao mercado. Em caso de insuficiência de reservas, é sempre possível ir ao mercado e tomá-las emprestadas. Os bancos vão diariamente ao mercado interbancário para descartar o excesso ou cobrir a insuficiência de reservas. No agregado, porém, os bancos não têm como criar ou destruir reservas. A única forma de o sistema bancário como um todo se desfazer de um excesso de reservas ou suprir uma insuficiência delas é através de operações com o Banco Central. É esta a razão pela qual os Bancos Centrais não podem controlar o nível das reservas bancárias. Para evitar oscilações violentas nas taxas de juros do overnight para reservas, os Bancos Centrais são obrigados a atender às demandas do sistema bancário, suprindo ou enxugando o excesso diário de reservas do sistema a determinada taxa de juros. Deixando de lado o papel-moeda, as reservas mantidas pelo sistema bancário no Banco Central correspondem à base monetária. Fatores exógenos, como um influxo de moeda estrangeira comprada pelo Banco Central, criam base monetária e, portanto, excesso de reservas para o sistema. Se o Banco Central não esterilizasse esse excesso de reservas — normalmente por meio de operações compromissadas de revenda (RRP, ou *reverse repos*) —, ao fim do dia, a taxa de juros do overnight no mercado interbancário cairia a zero. De forma simétrica, quando um fator exógeno destrói reservas bancárias, como uma saída de moeda estrangeira, se o Banco Central não suprir a insuficiência de reservas por meio de operações compromissadas de recompra (*repos*), no fim do dia, a taxa de juros sobre as reservas dispararia e forçaria os bancos a recorrer ao redesconto. De toda forma, a base monetária terminaria por se expandir.

O mercado de reservas bancárias — ou o mercado de Fed Funds, como é chamado nos Estados Unidos — é um tipo muito especial de mercado. Embora seja chamado de um mercado, a troca de reservas entre os bancos não constitui verdadeiramente um mercado. Durante o dia, os bancos têm de fato liberdade para comprar e vender reservas, mas no fim do dia só o Banco Central pode equilibrar o excesso de demanda ou de oferta. Essa é a razão pela qual esse sistema poderia ser substituído por um sistema de reservas remuneradas no Banco Central. Se o excesso ou a insuficiência de reservas pudesse ser depositado ou sacado, à taxa de juros básica diária do Banco Central, não haveria mais um "mercado" de reservas, sem que houvesse qualquer mudança substantiva no funcionamento do sistema. A substituição do mercado de reservas por um sistema de depósitos remunerados à taxa básica no Banco Central deixaria evidente que ele não controla a base monetária, apenas a taxa de juros das reservas bancárias.[7] Mesmo quando tinham metas para os agregados monetários, os Bancos Centrais sempre usaram os juros como a variável de política monetária. Agora que eles têm metas de taxas de juros, ao contrário do que às vezes se supõe, os Bancos Centrais não ajustam — nem poderiam — a oferta de moeda para cumprir a meta de juros.[8] Eles simplesmente definem a taxa de juros do mercado de reservas bancárias. A taxa de juros diária sobre as reservas é sempre a variável sob controle direto dos Bancos Centrais, mesmo quando eles optam por perseguir metas para os agregados monetários.

Foi só com o livro de Woodford (2003) que essa "curiosa disjunção entre a teoria e a prática", como ele a denominou, ou essa "infeliz dicotomia entre a teoria e a prática", de acordo com Goodhart (1989), chegou ao fim. Woodford retomou a abordagem de Knut Wicksell, economista sueco que, no fim do século XIX, quando a TQM ainda não era dominante, discutia macroeconomia em termos de desvios da taxa de juros em relação a seu nível "natural". Wicksell (1898) sustentava que era "possível conceber o problema da política monetária como uma questão de política de taxa de juros". Assim, Woodford procurou desenvolver uma teoria da determinação do nível geral de preços baseada numa política de regras para a taxa de juros, que é a forma como operam os Bancos Centrais na prática. Segundo ele, para compreender as consequências dessas regras, não é preciso antes determinar suas implicações para a evolução da oferta de moeda e, só então, analisar as consequências da regra implícita da oferta de moeda. Ao contrário, Woodford sustenta que é possível analisar a determinação do nível de preços sob essas regras em termos de um arcabouço conceitual que não faça referência nem à oferta nem à demanda por moeda. Nesse arcabouço neowickselliano, os determinantes do nível geral de preços de equilíbrio não são a oferta e a demanda de moeda, não são fatores nominais, e sim os fatores reais determinantes da taxa real de juros de equilíbrio e da relação entre as taxas de juros e os preços.

Tamanha era a predominância dos agregados monetários como variável de política monetária na profissão que Woodford se sentiu obrigado a explicar, primeiro, que esse era de fato o procedimento operacional do Fed e, segundo, que, implícita na descrição da política monetária como regras para a taxa de juros, havia uma trajetória da oferta de moeda. Isso pode dar a impressão de que o uso da taxa de juros como a variável de política monetária é apenas uma questão de escolha prática, irrelevante do ponto de vista lógico. Haveria sempre uma trajetória implícita dos agregados monetários para uma dada evolução das taxas de juros nominais e vice-versa. Woodford opta por não comprar essa briga e deixa que tal interpretação corra livre, mas, em vários pontos de sua análise, fica claro que ele não acredita nessa relação biunívoca entre a trajetória da taxa de juros e a evolução do estoque de moeda. Logo no primeiro capítulo de seu livro, onde ele se propõe a dar uma visão geral do seu argumento, Woodford afirma que

> embora se discuta, às vezes, a evolução implícita da oferta de moeda, essa questão é, em geral, aqui ignorada. Em certas ocasiões, não me dou ao trabalho de especificar a política monetária (ou um modelo econômico) com detalhes suficientes para determinar as trajetórias correspondentes da oferta de moeda, *ou nem mesmo para dizer se, em princípio, é possível determinar uma única delas.*[9]

Contudo, sem uma trajetória definida para a oferta de moeda, retornamos à indeterminação do nível de preços. Mesmo que haja determinado estoque real de moeda associado a determinada taxa de juros, infinitas são as combinações de M e P compatíveis com um dado estoque real de moeda M/P. Woodford volta de maneira mais explícita a essa indeterminação quando analisa as regras para as taxas de juros e a estabilidade do nível geral de preços:

> No contexto do modelo neowickselliano básico, definido na Seção 1, suponha que a política monetária seja conduzida de modo a garantir que a taxa de juros nominal de curto prazo siga um processo (circunscrito) exogenamente especificado de metas. Nesse caso, o equilíbrio com expectativas racionais é indeterminado, qualquer que seja a natureza do processo de metas.

E prossegue para concluir que "isso significa que há um número infinito de possíveis equilíbrios das variáveis endógenas em resposta aos distúrbios reais".

Trata-se de um reconhecimento explícito de que, com expectativas racionais, o modelo não tem uma trajetória única de equilíbrio para o nível geral de preços. Esse é o ponto de Sargent e Wallace (1975), de acordo com os quais, sob expectativas racionais, as regras da taxa de juros resultam em indeterminação e, mesmo entre soluções circunscritas, há um conjunto muitíssimo grande de equilíbrios possíveis. Isso os levou a concluir que a política monetária só poderia ser formulada em termos de regras para a oferta de moeda. Em meados da década de 1970, quando Sargent e Wallace chegaram a essa conclusão, ainda não se compreendia que, num sistema de moeda fiduciária, com liquidação e custódia consolidadas, nem a oferta de moeda é claramente definida nem os Bancos Centrais são capazes de controlá-la.

Quase quatro décadas depois, John H. Cochrane,[10] da Universidade de Chicago, em resenha detalhada da agora já extensa literatura sobre a indeterminação do nível de preços no mundo pós-keynesiano, conclui que "a regra de Taylor, no contexto do modelo neokeynesiano, leva à mesma indeterminação da inflação que ocorre sob metas fixas de juros". Após examinar as alternativas propostas — no que é hoje uma longa literatura — para resolver a indeterminação do nível de preços, Cochrane é forçado a concluir que "a inflação é tão indeterminada nos modelos neokeynesianos microfundamentados, quando o Banco Central segue uma regra de Taylor com regime fiscal ricardiano, quanto sob metas fixas de taxas de juros". Cochrane diz que o seu artigo é integralmente negativo e longo demais, razão pela qual se abstém de expor e testar uma alternativa teórica. No século XXI, nem mesmo um economista da Universidade de Chicago se sente à vontade para propor o retorno às regras para a oferta de moeda e às metas monetárias.

O mundo neokeynesiano sem moeda

As expectativas racionais são um pressuposto irrefutável do ponto de vista lógico para o agente racional maximizador da teoria econômica. Com expectativas racionais, porém, assim como no modelo de equilíbrio geral de Arrow-Debreu, a economia real deixa de depender da moeda e da política monetária. O artigo de Sargent e Wallace de 1975 foi o ponto de partida para o retorno da dicotomia entre os equilíbrios macroeconômicos real e monetário. Como resultado, as questões monetárias saíram de moda e a teoria macroeconômica voltou sua atenção para os efeitos dos choques reais e para os ciclos macroeconômicos de produção.[11]

Mais de dez anos depois, em fins da década de 1980, uma série de trabalhos empíricos começou a demonstrar que a política monetária, de fato, tem efeito sobre o desempenho no curto prazo da economia real. Ficava claro que a forma de conduzir a política monetária tem impacto importante sobre o nível de atividade. Terminava assim o exílio — um véu que apenas determinaria a inflação e o nível de preços no longo prazo — a que a teoria havia confinado a moeda. As questões monetárias foram reintroduzidas ao arcabouço teórico da macroeconomia.

Diante da evidência de que a política monetária importa na prática, a macroeconomia das expectativas racionais teve que ser revista e foi obrigada a se adaptar. Fricções e atritos de toda ordem, como as inflexibilidades keynesianas de salários e preços, foram reconsiderados para tentar compatibilizar o modelo com a realidade. O esforço para deduzir as relações macroeconômicas a partir de fundamentos microeconômicos levou aos novos modelos baseados na hipótese de preços escalonados, nos quais a rigidez dos preços pode ser reconciliada com agentes racionais maximizadores. Os modelos dinâmicos estocásticos de equilíbrio geral, conhecidos como DSGE (Dynamic Stochastic General Equilibrium), com preços escalonados, em que as equações comportamentais agregadas resultam explicitamente da otimização, substituíram o modelo IS-LM simples.[12] Os DSGE replicam a maioria dos resultados do modelo IS-LM, com a vantagem de que são capazes de incorporar o caso-limite de preços perfeitamente flexíveis. Com flexibilidade de preços, eles reproduzem a dinâmica do modelo RBC do ciclo econômico real (Real Business Cycle), em que a política monetária só afeta as variáveis nominais e não tem nenhum efeito sobre as variáveis reais.

A derivação do modelo DSGE de referência pode ser encontrada em qualquer trabalho sobre política monetária da década de 1990.[13] Assim como o modelo IS-LM, ele pode ser representado por duas equações em forma reduzida: uma curva IS, que relaciona o hiato do produto inversamente à taxa de juros real, e uma curva de Phillips, que relaciona a inflação positivamente ao hiato do produto:

(1) $x_t = -\varphi(i_t - E_t \pi_{t+1}) + E_t x_{t+1} + g_t$
(2) $\pi_t = \lambda x_t + \beta E_t \pi_{t+1} + \mu_t$

em que x é o hiato do produto; i é a taxa de juros nominal; π é a taxa de inflação; e μ são perturbações aleatórias com média zero.

A equação (1) difere da curva IS tradicional porque é derivada do processo de maximização intertemporal dos consumidores e das empresas. Em consequência, o consumo corrente passa a depender da renda futura esperada, assim como da taxa de juros. A elevação da renda futura esperada aumenta a renda corrente, pois as pessoas preferem suavizar o fluxo do consumo ao longo do tempo. Expectativas de renda e consumo mais elevadas no futuro levam ao aumento do consumo no presente, o que aumenta a renda corrente. No modelo básico, o efeito negativo da taxa de juros real sobre a renda corrente decorre exclusivamente da substituição intertemporal do consumo. A elasticidade da nova curva IS não depende, portanto, do efeito da taxa de juros real sobre o investimento, nem de suas implicações para os mercados financeiros, mas somente das preferências intertemporais de consumo. A demanda agregada se relaciona de forma inversa com a taxa de juros real, mas não há função de investimento nem mercados financeiros.

A equação (1) pode ser reiterada para obter:

(1.1) $x_t = E_t \sum_0^\infty [-\varphi(i_{t-1} - \pi_{t+1+i})] + g_{t+i}$

A curva de oferta agregada da equação (1.1) resulta da hipótese de preços nominais escalonados, como formulada por Stanley Fischer (1977) e John Taylor (1980). A decisão individual de formação de preços é resultado de um processo de otimização explícita, em que as empresas, em condições monopolísticas, escolhem preços nominais sujeitos a restrições quanto à frequência de futuros ajustes de preços. A equação parece com a tradicional curva de Phillips ampliada pelas expectativas, mas é a expectativa de inflação futura, $E_t \pi_{t+1}$, que nela aparece, em oposição à inflação corrente esperada, $E_{t-1}\pi_t$. Isso significa que, em contraste com a curva de Phillips tradicional, não há dependência da inflação passada nem inércia na inflação. Fica claro que no modelo neokeynesiano são as expectativas sobre o futuro que afetam o nível de atividade hoje.

O mesmo se aplica à equação da inflação. Após algumas iterações, a equação (2) pode ser reescrita como:

(2.2) $\pi_t = E_t \sum_{i=0}^\infty \beta^i [\lambda x_{t+i} + u_{t+i}]$

Fica claro que a inflação depende apenas dos hiatos de produto, corrente e esperado no futuro, ou seja, é independente das variáveis nominais. Ela depende apenas de variáveis reais correntes e futuras. Essa é uma mudança significativa, não só em relação ao modelo IS-LM original, mas também e sobretudo em relação à tradição monetária clássica da Teoria Quantitativa. Já não existe relação entre moeda e nível de preços, nem entre expansão monetária e inflação. A inflação depende exclusivamente das condições correntes e esperadas da economia real. A taxa de juros nominal fecha o modelo. Não há oferta nem demanda de moeda. A política monetária entra em cena através da taxa de juros. Supõe-se que o Banco Central controla a taxa de juros nominal de curto prazo e que, devido às inflexibilidades nominais, esta, por sua vez, afeta a taxa de juros real.

Com o desaparecimento da curva LM, perde-se um aspecto crucial do modelo keynesiano original: não existe mais ligação entre os lados real e monetário da economia por meio da taxa de juros. Até o modelo neokeynesiano, a taxa de juros era a variável que intervinha na determinação do equilíbrio, tanto do mercado monetário quanto do mercado real. No modelo keynesiano original, a taxa de juros nominal aparece na demanda por moeda, e a taxa de juros real, na função de demanda agregada — por via do investimento. No modelo dinâmico de equilíbrio geral neokeynesiano, a taxa de juros nominal está sob controle direto do Banco Central. O mercado monetário-financeiro sai completamente de cena.

Por mais precária que fosse a formulação original do mercado monetário, oriunda da Equação Quantitativa, o mercado financeiro pelo menos era introduzido na cena macroeconômica. A passagem do modelo IS-LM para o modelo DSGE, que caracterizou a mudança da perspectiva keynesiana para a neokeynesiana, eliminou a moeda e o mercado financeiro da análise. Até a representação mais simplista dos mercados financeiro e monetário deixa de existir. As únicas variáveis nominais do modelo são a taxa de juros nominal, determinada de maneira exógena pelo Banco Central, e a taxa de inflação. A relação entre elas já não se estabelece de forma direta, por meio do mercado monetário, mas indiretamente, através do hiato de produto e da curva de Phillips.

A solução woodfordiana para a gestão da demanda, através da taxa de juros, soluciona a "curiosa disjunção entre a teoria e a prática", mas reabre a questão da indeterminação do nível de preços. A demanda e a capacidade de oferta agregadas determinam a aceleração e a desaceleração da taxa de variação do nível geral de preços. O que determina, porém, a própria taxa de variação, ou seja, a inflação, se não existe um equilíbrio único?[14] Se o nível geral de preços e sua taxa de variação são, em última instância, funções da sua própria história e das expectativas, o que impede que haja espirais deflacionárias e inflacionárias autorrealizadas? Woodford considera que inflações autorrealizadas são uma possibilidade mais realista do que deflações autorrealizadas. Ao analisá-las, porém, ele retoma, em termos vagos, as mesmas regras para a oferta de moeda que já havia descartado, ao afirmar que "condições sob as quais esse equilíbrio não existiria, para o caso de taxa de expansão monetária constante, já foram demonstradas". E prossegue, então, para reconhecer que, numa hiperinflação, o estoque monetário real se reduz a uma pequena fração de seu nível normal e pode tender a zero. O que o leva a concluir que "não está claro que se possa confiar nesse mecanismo [*isto é, regras de expansão monetária*] para evitar inflações autorrealizadas".[15] A última seção de seu capítulo 2, dedicada à questão da indeterminação do nível de preços, das inflações e das deflações autorrealizadas, é um exemplo dramático de como a dependência de uma análise formal para dedução das condições-limite de um modelo pode obscurecer uma questão, ao invés de esclarecê-la e facilitar seu entendimento.

A inflexibilidade nominal esquecida: a dos contratos financeiros

A inflação no modelo neokeynesiano depende exclusivamente dos hiatos de produto, o corrente e os esperados para o futuro. Dado que o Banco Central controla o hiato do produto através da taxa de juros, isso significa que ele pode controlar e levar a zero até mesmo a inflação mais alta e persistente, apenas por meio da política monetária. A velocidade com que isso poderia ser feito dependeria da função objetivo das autoridades monetárias, dado o custo em termos de produto e emprego, mas, em tese, poderia ser feito em um único período. Bastaria provocar o nível certo de folga na capacidade instalada hoje, assim como gerar a expectativa de uma trajetória não inflacionária para a renda no futuro, isto é, escolhendo $\sum_{i=0}^{\infty} x_{t+i}$ de modo que $\pi_t = 0$.

Essa possibilidade contradiz frontalmente a experiência dos países que enfrentaram inflações altas e persistentes. A tentativa de estabilizar os processos de inflação crônica através de políticas monetárias restritivas, sem atentar para o componente inercial da inflação, pode provocar uma grave crise bancária, muito antes de conseguir debelar a inflação.

No mundo keynesiano, a inflexibilidade dos salários nominais justifica a persistência do desemprego. Salários nominais inflexíveis também estão por trás da dificuldade enfrentada para reduzir a inflação, mesmo quando há desemprego e capacidade ociosa. Na década de 1970, foram feitas várias tentativas de reconciliar a inflexibilidade dos salários com a racionalidade individual,[16] mas a hipótese de salários nominais inflexíveis nunca chegou a ser a rigidez nominal incorporada aos modelos neokeynesianos. Ela foi ofuscada pela hipótese dos preços escalonados, que teve mais sucesso, provavelmente pelo fato de ter sido formalizada de modo mais elegante, de acordo com os princípios de maximização racional. Nos modelos de preços escalonados, a inflação passada não aparece na formação das expectativas de inflação, e a inércia do processo é derivada apenas dos contratos escalonados.

A inflexibilidade dos salários nominais tem uma longa tradição na teoria macroeconômica, mas outra fonte importante de inflexibilidade nominal — os contratos financeiros — sempre foi negligenciada por completo. Os mercados financeiros nunca fizeram parte da teoria macroeconômica convencional. Depois da crise financeira de 2008, o mercado financeiro e a armadilha da liquidez foram para o epicentro do debate macroeconômico, mas até pouco tempo atrás a macroeconomia desconsiderava a importância das questões financeiras.[17]

A vasta maioria dos contratos financeiros é escrita em termos nominais e inegociáveis independentemente das contingências. Os contratos indexados — desde que em relação à inflação passada e com intervalos fixos entre os reajustes — também são fonte de inércia do processo inflacionário.[18] Grandes e inesperadas quedas da taxa de inflação têm impacto muito negativo nos balanços dos bancos. Se, por vontade divina — ou do Banco Central —, a inflação se reduzisse a zero, o valor real dos contratos financeiros aumentaria, ainda que as expectativas tivessem se ajustado à realidade. As quebras e a incapacidade de honrar os contratos de dívidas serão inevitáveis, seguidas de crises bancárias e de recessões prolongadas, como aquelas causadas pela deflação numa economia em que os agentes estão endividados. Numa economia com longa história de inflação, o impacto da inflação substancialmente mais baixa do que o antecipado é análogo ao caso do endividamento deflacionário de Irving Fisher. Na hipótese de endividamento deflacionário, é a redução do nível geral de preços que aumenta o valor real das dívidas,[19] mas a redução inesperada de uma alta taxa de inflação produz o mesmo efeito. Aumenta o valor real de todos os contratos financeiros, que estipulam a taxa de juros nominal com base numa taxa esperada de inflação muito mais alta. A situação inversa, quando a inflação acelera acima das expectativas, prejudica os credores, não os devedores. Como os credores que não são bancos não estão alavancados e os bancos não têm descasamentos entre ativos e passivos, a situação não leva à inadimplência generalizada nem a crises financeiras. A inflação mais alta do que a esperada transfere riqueza dos credores para os devedores,[20] o que, se for recorrente, pode aumentar a preferência dos credores pela liquidez e levá-los a reduzir os prazos de aplicação,[21] mas não tem impacto macroeconômico no curto prazo.

Em princípio, para evitar crises mais profundas, o Banco Central deve procurar influenciar as expectativas e adotar uma abordagem gradualista para controlar a inflação. Essa é a ideia subjacente ao regime de metas para a inflação e à regra de Taylor, derivada do modelo neokeynesiano de equações (1) e (2). Como vimos, esse modelo supõe que a inércia da inflação resulta exclusivamente dos contratos escalonados nos mercados de trabalho e de bens. Na equação (2), a inflação depende exclusivamente do hiato do produto, das expectativas de inflação futura e de choques aleatórios. Como o modelo ignora por completo o mercado financeiro, também é ignorada a questão dos impactos redistributivos de riqueza dos contratos financeiros quando há uma significativa mudança do regime de inflação. A hipótese de expectativas racionais pressupõe que os agentes compreendam e reajam de imediato à mudança de regime, o que evitaria as transferências de riqueza entre devedores e credores. Isso é não só irrealista, depois de um longo período de políticas acomodatícias, como também impossível do ponto de vista contratual, dada a existência de contratos financeiros de longo prazo.

Moeda e preços nominais

Nunca se chegou a uma definição precisa do que é a oferta de uma moeda fiduciária; no entanto, a quantidade de moeda ofertada como variável de política monetária percorreu um longo caminho antes de ser rejeitada pelo neokeynesianismo. A suposta estabilidade da relação entre a oferta de moeda e o nível geral de preços nunca pôde ser comprovada na prática. Não importa a definição dos agregados monetários e as defasagens introduzidas, ou quantos epiciclos ptolomaicos sejam adicionados, a relação entre moeda e preços nunca foi estável, nem uma função estável de variáveis conhecidas. Tudo o que foi possível comprovar na prática é que no longo prazo duas variáveis nominais têm correlação positiva, o que é mero truísmo. Finalmente, diante da evidência irrefutável de que não há uma relação estável entre a oferta de moeda e o nível de preços, a partir do início do século XXI, os agregados monetários desapareceram tanto da teoria como da prática da política monetária.

Por mais correto que seja, diante da falta de sustentação tanto analítica como empírica, excluir a oferta de moeda do modelo macroeconômico de referência reabre a questão da indeterminação do nível de preços. Se não é a moeda, o que então determina o nível de preços e a inflação? A pergunta continua sem resposta. O atual modelo macroeconômico de referência, das equações (1) e (2), se esquiva da questão. No modelo neokeynesiano, a variação da taxa de inflação, sua aceleração ou desaceleração, é função da intensidade da demanda, medida pelo hiato do produto, e da inflação esperada. Não há, entretanto, razões que justifiquem determinada trajetória da inflação e não outra. O que ancora a inflação no hiato do produto? O que determina a inflação hoje associada a certo hiato de produto é sua história, mas o que define a inflação na partida? Se não há uma única taxa de inflação possível associada à primeira pressão inflacionária da demanda, se a inflação não tem âncora, estamos de volta à indeterminação nominal. Se existem infinitas taxas de inflação possíveis, associadas a certo hiato do produto no ponto de partida do processo, a possibilidade de inflações e deflações autorrealizadas não pode ser descartada.

O que é moeda e por que existe a demanda por moeda? Sem uma resposta para essas perguntas, não há de fato uma teoria monetária. Com a Teoria Quantitativa, tinha-se respostas; respostas questionáveis em termos analíticos e empiricamente insustentáveis, mas respostas. A moeda-mercadoria consistia num estoque físico de algo que tinha aceitação imediata e universal e que servia como referencial para a fixação dos preços. Com a introdução da moeda fiduciária, o estoque físico de moeda foi substituído na Teoria Quantitativa pelo valor real do estoque nominal de moeda fiduciária, os chamados "saldos monetários reais". Como vimos, essa substituição leva a uma indeterminação, dado que há um número infinito de combinações de níveis de preços e saldos nominais de moeda compatíveis com determinado saldo monetário real. Além da indeterminação do nível de preços, duas questões ainda mais fundamentais continuam sem resposta. Primeiro, por que existe demanda por algo que não tem valor intrínseco, como a moeda? Segundo, o que é a oferta de moeda num sistema fiduciário puro, com registros, pagamentos e compensação centralizados?

Os livros-textos definem as propriedades intrínsecas da moeda, como servir de meio de pagamento, de reserva de valor e de unidade de conta. Existe uma infinidade de ativos bem mais eficazes que a moeda como reserva de valor, sobretudo num contexto inflacionário, e qualquer tipo de ativo pode ser usado como meio de pagamento, desde que se pague o preço de sua falta de liquidez. Num sistema centralizado de compensação e custódia, como no sistema bancário contemporâneo, que pode ser acessado de qualquer lugar, por meio de cartões e dispositivos móveis, a moeda como meio de pagamento é um anacronismo completo. De uns tempos para cá, a tese da perda da importância da moeda física se tornou preponderante, mas a discussão atual sobre o eventual fim da moeda se refere ao fim do papel-moeda — tema que se tornou candente com o advento das taxas de juros nominais negativas —, e não ao fim da moeda fiduciária.[22]

A propriedade essencial da moeda, aquela que continua válida mesmo nos atuais sistemas de pagamento eletrônico centralizados, é servir como unidade de conta, ou seja, funcionar como referência na qual os preços são cotados. É essa função de referencial para os preços nominais ou absolutos, em contraposição aos relativos, que torna a moeda perfeitamente líquida. A liquidez da moeda é tautológica: a moeda não está sujeita a desconto em seu valor nominal porque seu valor nominal é a referência para a determinação de todos os preços, inclusive o dela própria.

O chamado enigma de Hahn[23] aponta para o fato de que há demanda por moeda, apesar da constatação de que, de acordo com a lógica do modelo de equilíbrio geral, nada impede uma solução de equilíbrio onde seu preço é nulo. De acordo com Calvo (2012), a resposta do enigma está em que os preços e os salários são fixados em termos monetários e são mantidos estáveis durante um período de tempo. A estabilidade dos preços nominais durante um período de tempo é fundamental para que a moeda possa exercer seu papel. Calvo sugere que a intuição original sobre esse papel da moeda é de Keynes. No capítulo 17 da *Teoria geral*, Keynes sustenta que o fato de os salários serem cotados em termos monetários e de serem relativamente estáveis em termos nominais, "inquestionavelmente, é parte importante da explicação de por que a moeda tem um prêmio de liquidez tão alto". O valor da moeda — ou seu prêmio de liquidez, dado que seu custo é praticamente quase nulo — decorre de ela ser a referência para a cotação dos preços, e de esses se manterem estáveis durante determinado período de tempo. É esse papel de unidade de conta — que só é possível se os preços forem cotados e ficarem estáveis durante um período relevante de tempo em relação ao valor unitário da moeda — que explica a demanda por moeda.

A estabilidade dos preços nominais durante um período de tempo é fundamental para a função econômica da moeda. No mundo walrasiano dos modelos de equilíbrio geral de Arrow-Debreu, não há função nem para a moeda nem para os preços nominais. Em sintonia com a intuição original dos proponentes da TQM, a função da moeda está relacionada às transações, mas no mundo de equilíbrio instantâneo de Walras-Arrow-Debreu não há transações. Elas só fazem sentido num mundo onde existe tempo e as informações são imperfeitas. Preços relativos são, de fato, tudo de que precisamos para a tomada de decisão no contexto de informações perfeitas e instantâneas. Contudo, como a atividade econômica, a produção e a comercialização exigem tempo, devemos ser capazes de comparar preços nominais em diferentes momentos, para só então obter os preços relativos. Os preços nominais — que se mantêm fixos durante um período de tempo relevante para a produção e a comercialização — são essenciais para nossa capacidade de computar preços relativos no mundo real.[24] Esse fato também chama a atenção para um ponto fundamental, obscurecido pela histórica obsessão da teoria com a moeda física: não é a moeda, ou mais precisamente o papel da moeda, que é importante e precisa ser compreendida, e sim o papel dos preços absolutos ou nominais. A moeda é somente a convenção com base na qual se definem os preços absolutos a ser praticados ao longo de determinado período de tempo, em um mundo onde os preços relativos não podem ser conhecidos de forma instantânea. O papel dos preços nominais é mais importante do que o do papel-moeda, razão pela qual — ao menos enquanto não houver informação perfeita e instantânea — pode haver um mundo sem papel-moeda, mas não um mundo sem unidade de conta e sem preços nominais. A fundamentação teórica dos preços nominais — em oposição à dos preços relativos, que é objeto do modelo de equilíbrio geral de Walras-Arrow-Debreu — é o que precisa ser desenvolvido analiticamente, e não os fundamentos microeconômicos da moeda.

Preços rígidos como âncora da moeda

O que Calvo chama de Price Theory of Money (PTM) inverte a relação clássica entre a moeda e os preços. Segundo a teoria monetária, a moeda é a âncora nominal dos preços, e a inflexibilidade dos preços é um problema que impede o equilíbrio e o pleno emprego. A PTM sustenta que preços — ou mais precisamente preços inalterados durante algum tempo — são o que justifica a existência da moeda, a existência de uma unidade nominal de conta. São os preços nominais estáveis, por um período relevante de tempo, que dão funcionalidade e razão de ser à moeda. Pode-se, portanto, afirmar que são os preços temporariamente inflexíveis que "ancoram" a moeda.

Isso significa que há um trade-off entre a importância da moeda, de seu papel de transmissor de informações de preços no tempo, e a velocidade com que a economia é capaz de restaurar o equilíbrio de pleno emprego. Esse trade-off envolve a duração dos intervalos entre os reajustes de preços e a velocidade com que a economia retorna ao equilíbrio. Quanto mais curtos forem os intervalos entre os reajustes de preços, mais rápido será o retorno ao equilíbrio. Essa é a razão por que altas taxas de inflação estáveis são tão difíceis de controlar, enquanto as hiperinflações são, comparativamente, fáceis de estabilizar, com uma mudança de regime. Nas hiperinflações, já não existe inflexibilidade dos preços, pois eles são revistos quase que de forma instantânea; portanto, a moeda perde sua função e deixa de exercer o papel de unidade de conta. Apesar de a inflexibilidade dos preços reduzir a velocidade de restabelecimento do equilíbrio, alguma estabilidade dos preços é fundamental para o processo de transmissão de informação na economia. A hiperinflação reduz a inflexibilidade dos preços, mas também seu conteúdo informativo. A estabilidade dos preços nominais individuais, não necessariamente do nível geral de preços, é essencial, mesmo que o preço a ser pago por ela seja um período mais longo até o restabelecimento do equilíbrio. O valor da moeda deriva da estabilidade dos preços individuais, e quando a estabilidade dos preços — ou sua previsibilidade — desaparece, como nas hiperinflações, a moeda perde sua razão de ser. É importante distinguir o argumento de perda do conteúdo informativo da moeda e dos preços do tradicional argumento do custo elevado de reter determinado estoque de moeda em ambientes de altas taxas de inflação.

Depois de uma longa e onerosa obsessão pelo padrão-ouro, a moeda fiduciária foi por fim aceita, mas a fixação com a materialidade da moeda nunca foi superada por completo. Se a propriedade essencial da moeda é ser a unidade de conta, moeda é tudo aquilo que serve como referência para a cotação de preços nominais. Ela não precisa ter curso forçado nem existência física. Os depósitos à vista são perfeitamente líquidos e, portanto, são considerados moeda, pois seu valor se mantém sempre estável em relação à unidade de conta. O ponto crucial aqui é a estabilidade em relação aos preços nominais durante um intervalo de tempo relevante. Por isso é que, mesmo com inflação alta, quando seu valor real sofre erosão constante, a moeda preserva sua importância enquanto o intervalo de tempo em que ela mantiver uma relação nominal estável com os preços individuais e com os salários for suficiente para a transmissão de informação no tempo. A extensão do que seja um intervalo de tempo longo o suficiente, antes que a moeda seja substituída, depende das possíveis alternativas para servir como unidade de conta. Nas grandes economias fechadas, onde a presença de moedas estrangeiras é limitada, a tolerância a intervalos muito menores entre os reajustes de preços é maior do que nas pequenas economias abertas. Nos últimos estágios da hiperinflação, quando os preços passam a ser revisados quase instantaneamente, a moeda perde toda a sua funcionalidade.

No Brasil, a introdução do real ilustra bem o ponto de que a característica essencial da moeda é a previsibilidade dos preços nela cotados. O país tinha taxas de inflação extraordinariamente altas, acima de 40% ao mês, nos meses anteriores ao anúncio do plano de estabilização. A nova moeda, o real, seria emitida num futuro próximo, sem data determinada. Até lá, uma unidade de conta virtual, a URV, foi introduzida. Seu valor em relação à velha moeda era reajustado todos os dias, de acordo com a taxa de inflação vigente. A ideia da moeda indexada, subjacente à URV,[25] foi concebida para evitar os problemas provocados pela súbita redução de uma inflação crônica elevada.[26] Embora o governo e o Banco Central, emissores da nova moeda indexada, fossem os mesmos que emitiam a moeda devastada pela inflação, a URV teve aceitação imediata e não sofreu inflação. Quatro meses depois, o real foi emitido, com taxa de câmbio de um para um em relação à URV, e tornou-se a moeda oficial do país. A inflação havia sido derrotada. Uma referência estável em que os preços possam ser cotados, como a URV, se torna "moeda" mesmo que não tenha existência física e, portanto, não haja quantidades ofertadas ou demandadas.

À época, as discussões sobre qual deveria ser a âncora nominal para a nova moeda foram acirradas.[27] Está claro que não poderia ser a base monetária nem qualquer outro agregado monetário. Quando a inflação é reduzida, de 40% ao mês para quase zero, o aumento da demanda da moeda, ou a queda de sua velocidade de circulação, é significativo e ainda mais difícil de ser quantificado do que em situações menos extremas. A taxa de câmbio era uma alternativa, mas o Brasil não havia se tornado uma economia dolarizada. Isso era visto como uma vantagem, pois abria espaço de manobra em relação à taxa real de câmbio. O uso do dólar como âncora nominal para o real traria risco de dolarização da economia. A Price Theory of Money permite compreender por que o debate sobre a âncora monetária foi tão inconclusivo na época. Dado que são os preços que servem de âncora para a moeda, e não o inverso, a moeda e a liquidez são sempre endógenas. Não existe âncora monetária possível para os preços, uma vez que são os preços estáveis que servem de âncora para a moeda.

Nas páginas de abertura de seu *Interest and Prices*, Wicksell afirma: "Por outro lado, os preços absolutos — os preços nominais — são, em última análise, uma questão de pura convenção". Se o que ancora a moeda é pura convenção, a moeda é, ela mesma, pura convenção, e não pode haver oferta exógena de uma convenção. Os Bancos Centrais têm o monopólio da criação de reservas bancárias que, em regime de moeda fiduciária, são sempre perfeitamente líquidas, mas o grau de liquidez geral na economia é endógeno. Os Bancos Centrais podem sempre criar reservas bancárias — desde que sejam remuneradas à taxa de juros de básica —, mas ao contrário do que prevê a TQM, não têm nenhuma relação direta com os preços ou com a taxa de inflação.

Política monetária sob a Price Theory of Money

A PTM resolve o enigma da demanda por moeda, mas a questão da indeterminação do nível geral de preços continua em aberto. O corolário da PTM é que moeda e liquidez são fatores endógenos e que os preços não têm âncora objetiva. A teoria neokeynesiana, que hoje é preponderante, sustenta que é possível influenciar o nível de preços ou a inflação por meio da taxa de juros e de um regime de metas inflacionárias. A taxa de juros influencia a inflação de maneira indireta, através do hiato do produto, enquanto as metas — se o Banco Central tiver credibilidade — pautam as expectativas. Aceita a PTM, quanto mais estáveis ou previsíveis forem os preços, mais eficiente será o papel da moeda na economia e menos eficaz será a política de taxa de juros para pautar a inflação, ou seja, pior o trade-off da curva de Phillips. As evidências de vinte países, analisados há pouco por Blanchard, Cerutti e Summers (2015),[28] parecem confirmar que, após 1990, quando o regime de metas se tornou predominante e as expectativas foram ancoradas, o impacto do desemprego sobre a inflação se tornou efetivamente pouco relevante.

Se moeda e liquidez são convenções determinadas de forma endógena nos mercados financeiros, não pode haver teoria de política monetária sem referência ao sistema financeiro, à alavancagem e aos preços dos ativos financeiros.[29] A atual ortodoxia woodfordiana é, contudo, inequívoca: a inflação dos preços dos ativos financeiros não deve ser objeto da política dos Bancos Centrais. Na discussão sobre se os Bancos Centrais também devem mirar a inflação dos preços dos ativos, Woodford afirma que "a resposta fornecida pela teoria aqui desenvolvida é não. Os preços a serem estabilizados pela política monetária são os que têm reajustes infrequentes e que, portanto, têm maior probabilidade de ficar desajustados". O problema desse raciocínio é pressupor que os preços mais frequentemente reajustados, como os dos ativos financeiros, não ficam muito desajustados em relação ao equilíbrio. Depois da grande crise financeira de 2007-8, há hoje evidências irrefutáveis — se é que elas algum dia foram necessárias — de que não é bem assim. A nova ortodoxia parece ter chegado à conclusão de que os preços dos ativos devem ser monitorados e controlados não através da política de taxa de juros, e, sim, por meio das chamadas "medidas macroprudenciais". Querendo ou não, porém, a taxa de juros exerce impacto poderoso sobre os preços dos ativos, assim como sobre a liquidez e a alavancagem.

Há um ciclo financeiro endógeno, que se autorreforça e que tende a produzir bolhas e crises, com consequências potencialmente funestas para a economia real. A liquidez alimenta a inflação dos preços dos ativos, que por sua vez realimenta a liquidez através de maior alavancagem.

A única variável de política monetária do Banco Central é a taxa básica de juros do mercado interbancário, através da qual ele influencia toda a estrutura a termo dos juros. Esta, por sua vez, influencia a inflação através do hiato do produto. Se não houvesse inflexibilidade de preços, a reação seria instantânea e a inflação seguiria as metas com perfeição, sem perda de produto e de empregos. A inflexibilidade dos preços, necessariamente presente numa economia monetária, pois exerce um papel essencial na transmissão de informação, reduz o poder da taxa de juros de influenciar a inflação. Quanto mais inflexíveis forem os preços, mais líquida, ou monetizada, será a economia e menos poderosa será a taxa de juros para influenciar a inflação através do hiato de produto e do desemprego. O poder da taxa de juros para afetar os preços dos ativos também depende da estabilidade nominal dos preços, ou seja, da periodicidade com que são revistos. Os contratos longos são mais afetados, pois a taxa de juros tem maior impacto sobre seus valores presentes descontados, mas a taxa de juros influencia os preços dos ativos tanto direta — através do seu valor presente — quanto indiretamente — através do efeito dos preços dos ativos sobre a alavancagem e a liquidez. Seu impacto integral, porém, não é instantâneo, porque o novo equilíbrio dos preços dos ativos alimenta a alavancagem e a liquidez, que realimentam os preços dos ativos. Essa é a razão pela qual metas de inflação explícitas para os preços dos ativos poderiam ser úteis, se adotadas pelo Banco Central. Elas orientariam as expectativas de inflação dos preços dos ativos, que são o principal determinante da expansão da alavancagem e da liquidez. Os otimistas inveterados — ou os pessimistas contumazes no caso de uma economia deflacionária — sempre poderiam apostar contra as metas do Banco Central, mas estas norteariam as expectativas consensuais. Caso metas de inflação dos preços de ativos fossem adotadas para complementar as atuais metas de inflação, a política monetária talvez não se tornasse mais eficaz em relação ao controle da inflação corrente, mas poderia reduzir a volatilidade da economia real.

Conclusões

A teoria da política monetária passou por grandes transformações nos últimos vinte anos. Depois de mais de sete décadas de preponderância, a Teoria Quantitativa da Moeda, a suposta relação estável entre moeda e preços e a oferta de moeda exógena foram deixadas de lado. Em todas as disciplinas, teorias antigas acabam substituídas por outras mais recentes. Nas chamadas "ciências duras", as novas teorias não só têm maior capacidade de explicação das evidências empíricas como são também capazes de apontar onde e por que as teorias superadas estavam equivocadas. Nas ciências sociais, sob a desculpa de que a realidade em si pode mudar, justificam-se grandes reversões teóricas sem que se faça necessário explicar como e por que a antiga ortodoxia foi superada pela nova.

A velha teoria monetária resistiu por muito tempo às evidências contrárias para ser simplesmente descartada como vítima da mudança das circunstâncias. O silêncio da profissão sobre a morte súbita da antiga Teoria Quantitativa revela o reconhecimento, a contragosto, de que durante muito tempo se insistiu numa teoria flagrantemente equivocada. Por mais insatisfatória que seja, considerando sua influência e seu predomínio tão prolongados, a morte da Teoria Quantitativa da Moeda exige uma explicação apropriada. A constrangida recusa em dar a ela um enterro condizente deixou destroços por toda parte. Os estilhaços de uma teoria implodida aumentam a perplexidade diante da incapacidade da nova ortodoxia de explicar o nível de preços, a inflação e a deflação. Para poder evoluir, a teoria monetária precisa compreender onde e por que esteve equivocada durante tanto tempo. Não pode, simplesmente, continuar a culpar a mudança das circunstâncias.

Como contribuição, aqui estão alguns pontos de partida:

1. Os preços nominais desempenham papel fundamental em um mundo sem informações instantâneas e perfeitas.
2. A característica essencial da moeda é servir como unidade de conta, a referência na qual os preços nominais são cotados.
3. A moeda é uma convenção cuja função depende de certa estabilidade ou previsibilidade dos preços. Se os preços não são previsíveis, não há demanda por moeda.
4. A demanda por moeda não é a demanda por ativos físicos, líquidos, mas a demanda por uma unidade de conta. A demanda por ativos líquidos é diferente da demanda por uma referência nominal para os preços individuais. A liquidez absoluta da moeda é tautológica, dado que seu valor unitário serve de referência para a cotação dos preços.
5. A inflexibilidade dos preços reduz a velocidade de restabelecimento do equilíbrio, mas é essencial para a função de transmissão de informação da moeda. O excesso de volatilidade reduz o valor informativo dos preços. Mercados transitoriamente desequilibrados e desemprego temporário

são os preços pagos pela estabilidade, ou pela previsibilidade, dos preços, sem a qual a moeda deixa de ser funcional.
6. O grau de liquidez é a melhor aproximação do conceito de oferta de moeda em um sistema fiduciário. A liquidez é endógena, pró-cíclica e não está sob o controle direto do Banco Central. A quantidade de ativos com prêmio de liquidez nulo — isto é, ativos monetários — é apenas um dos elementos do grau de liquidez da economia.
7. Pode haver uma oferta quantitativa de papel-moeda, uma vez que ele tem existência física, mas não uma oferta quantitativa da moeda fiduciária, dado que a moeda é uma convenção.
8. O excesso de liquidez está positivamente correlacionado com a inflação dos preços dos ativos, mas não existe uma direção causal única; o processo se autorreforça.
9. O excesso de liquidez nem sempre provoca inflação, mas altas taxas de juros reais — ou, mais precisamente, aumentos súbitos na taxa de juros — reduzem a liquidez e podem provocar crises financeiras. Em outras palavras, o excesso de liquidez não causa necessariamente problema, mas a insuficiência de liquidez é sempre problemática quando existe alavancagem.
10. Grandes variações inesperadas da taxa de inflação têm sempre efeitos redistributivos, mas as reduções inesperadas da inflação aumentam o valor real das dívidas contratadas e provocam inadimplência. Com o sistema financeiro alavancado, uma súbita e significativa redução da taxa de inflação pode levar a crises bancárias.
11. Com a aposentadoria decretada da TQM, não há explicação coerente para o que determina o nível de preços e a taxa de inflação. A inflação é resultado de expectativas essencialmente subjetivas.

Ao fim de sua longa análise da literatura sobre o problema da indeterminação do nível de preços na teoria monetária contemporânea, Cochrane afirma que, "se a inflação, efetivamente, se estabilizou nas economias contemporâneas através da combinação das metas de taxas de juros com curvas IS e de Phillips retroativas, os economistas de fato não têm ideia de por que isso ocorreu". Ao fim da sua exaustiva resenha da teoria monetária contemporânea, a única conclusão possível é que há uma desconcertante incapacidade de se chegar a uma conclusão.

Em 1970, Milton Friedman, o defensor mais contundente e influente do monetarismo e da Teoria Quantitativa da Moeda, disse:

> Na realidade, essa interpretação da depressão estava completamente equivocada. Hoje, após o reexame da questão, está claro que a depressão foi o atestado trágico da eficácia da política monetária, e não uma demonstração de sua impotência. O que importava, porém, para o mundo das ideias não era a verdade em si, mas, sim, o que se acreditava ser a verdade.[30]

Friedman pode não ter tido razão em relação a inúmeras questões, mas estava certo quanto aos efeitos da política monetária equivocada, e tinha rigorosamente razão quanto ao que importa no mundo das ideias.

3
A caminho da economia desmonetizada[1]

I

SEGUNDO JOHN HICKS, a teoria monetária está ainda mais intrincadamente ligada à história do que a própria teoria econômica.[2] O quadro histórico e institucional, os preconceitos dos debatedores e a definição sempre arbitrária do que é a moeda desempenham um papel crucial na construção de uma estrutura teórica para o estudo dos assuntos monetários.

Na última década do século XX, a teoria monetária passou por uma grande reviravolta. Os agregados monetários e a Teoria Quantitativa da Moeda (TQM) foram deixados de lado. A moeda desapareceu da nova safra de modelos macroeconômicos. Nas duas últimas décadas, os modelos neokeynesianos conhecidos como Dynamic Sthochastic General Equilibrium (DSGE) tornaram-se tão ubíquos quanto irrealistas. Nos modelos DSGE não existem moeda, liquidez ou setor financeiro. As inadimplências são excluídas por hipótese.

Após a crise financeira de 2007, diante da esmagadora evidência de sua importância, tentou-se reintroduzir a moeda e o setor financeiro nos modelos macroeconômicos, mas a política monetária hoje está diante de um anacronismo institucional e um impasse analítico. Os Bancos Centrais se defrontam com a perda de eficácia de seu principal instrumento de política monetária, ou seja, a taxa de juros nas reservas bancárias, e a teoria já não tem mais uma âncora para o nível de preços e para a inflação. As grandes crises financeiras sempre nos levaram a um novo debate sobre a moeda e à reformulação da teoria monetária. John Hicks, mais uma vez, é quem afirma que as teorias monetárias surgem das crises financeiras. Dessa vez não foi diferente.

II

A moeda não faz parte do modelo analítico de referência da teoria econômica. O chamado modelo de equilíbrio geral de Walras-Arrow-Debreu determina o equilíbrio instantâneo dos preços relativos e das quantidades demandadas e ofertadas. A moeda, os preços nominais e o nível geral de preços não desempenham nenhum papel relevante na determinação do equilíbrio. Sempre foram tratados como acréscimos a posteriori que não afetam a economia real. Daí a expressão "a moeda é como um véu". Até o final do século XX, a teoria monetária supunha que o nível geral de preços fosse independente do equilíbrio real da economia e determinado pela quantidade de moeda. Essa suposição, que é a essência da TQM, tornou-se o modelo analítico de referência para a política monetária. O nível geral de preços, a inflação e a deflação eram considerados fenômenos puramente monetários. A controvérsia, nas décadas de 1960 e 1970, entre keynesianos e monetaristas, versava principalmente sobre em que medida a política monetária seria capaz de afetar a atividade econômica. Não havia grande discordância quanto à influência da moeda como a principal variável na determinação do nível de preços e da inflação. O adágio de Milton Friedman, segundo o qual "a inflação é sempre e em toda parte um fenômeno monetário", era até muito recentemente considerado indiscutível.

Apesar da sua aceitação quase universal, a pleiteada proporcionalidade fixa entre moeda e nível de preços nunca teve inquestionável sustentação empírica. Muito menos o sentido da causalidade da moeda para os preços. Não importa quantos epiciclos tenham sido acrescentados à hipótese básica da TQM: a única evidência sistemática foi a da correlação no longo prazo entre a quantidade de moeda e o nível de preços. Ocorre que correlação de longo prazo entre duas variáveis nominais é mero truísmo do qual nada pode ser inferido. Após a grande crise financeira de 2007 nas economias desenvolvidas, com o chamado Quantitative Easing (QE), a defesa da TQM se tornou insustentável. Com o QE, os Bancos Centrais realizaram o que pode ser considerado um experimento de laboratório definitivo. Através de programas de compras maciças de títulos financeiros, públicos e privados, os Bancos Centrais monetizaram grandes proporções dos ativos financeiros. Desde então, as defasagens e os problemas de identificação econométrica já não podem mais ser invocados para justificar a falta da evidência empírica que daria sustentação à proporcionalidade entre a moeda e os preços. O Fed, por exemplo, desde 2008, promoveu um aumento da base monetária americana de dezenas de bilhões para perto de 2 trilhões de dólares — aumento da ordem de vários milhares por cento —, sem que isso provocasse qualquer aumento da inflação. Os experimentos de QE do Banco do Japão, do Banco da Inglaterra e do Banco Central Europeu foram todos da mesma ordem de grandeza, sem que houvesse qualquer sinal de aumento da inflação.

III

De acordo com a definição clássica da moeda, suas principais funções são a de servir como meio de pagamento, como unidade de conta e ainda como reserva de valor. A primeira delas — meio de pagamento — foi quase sempre percebida como primordial. Facilitar as transações e eliminar a necessidade de dupla coincidência de demandas, necessária no sistema de escambo, foi com certeza o mais importante papel da moeda nas economias primitivas. Mas a moeda também desempenha um papel na intermediação de recursos, na transferência de recursos dos agentes superavitários para os agentes deficitários. Essa segunda função está associada à sua propriedade de reserva de valor e de instrumento de crédito. Enquanto servir como meio de pagamento é a tarefa mais importante nas economias primitivas, a relevância da função de reserva de valor e de intermediação, de servir como instrumento de crédito, aumenta conforme a sofisticação da economia e do sistema financeiro. É provável que seja essa a razão pela qual as primeiras conceituações do que seja moeda sempre destacaram seu papel de troca e meio de pagamento. No entanto, ao se começar a análise das questões monetárias a partir de sua função como meio de pagamento, no âmbito das trocas de mercadorias, tende-se a subestimar a importância da moeda como unidade de conta. É, entretanto, o fato de servir como unidade de conta, como padrão universal de valor, que define a moeda. Essa é sua única propriedade essencial, a que deveria ter precedência analítica sobre todas as demais. Qualquer tipo de ativo pode ser usado como meio de pagamento, desde que se aceite incorrer no deságio do seu prêmio de iliquidez. O que define a moeda — e faz com que o seu prêmio de iliquidez seja nulo — é o fato de ela servir como unidade de valor para a fixação dos preços, e não o fato de ela ser um meio de pagamento.

A ênfase analítica original no papel da moeda como meio de pagamento levou a um longo descaso da teoria monetária em relação à importância das questões relativas ao crédito e à liquidez. Segundo Schumpeter, a análise das questões monetárias pode partir tanto da moeda para compreender o crédito como do crédito para compreender a moeda.[3] Enquanto a primeira linha analítica leva a "teorias monetárias do crédito", a segunda leva a "teorias creditícias da moeda". Esses pontos de partida distintos conduzem a entendimentos diferentes quanto à política monetária. Dessa forma, é mais fácil entender a moeda como um tipo especial de mercadoria em sua função de meio de pagamento, e como unidade de conta e crédito em sua função de intermediação e de reserva de valor.

As origens da teoria monetária no mundo ocidental estão estreitamente associadas à história do sistema bancário e financeiro inglês. No século XVII, quando David Hume e Adam Smith começaram a discutir questões monetárias, o sistema financeiro na Inglaterra ainda era pouco sofisticado. O papel da moeda como meio de pagamento parecia ser o mais relevante; além do mais, como a moeda era realmente lastreada por uma mercadoria, é compreensível que o ponto de partida para a análise fosse o sistema de pagamentos, baseado na transferência de uma moeda-mercadoria. A dimensão física da moeda-mercadoria e seu valor intrínseco eram vistos como premissas naturais para a análise dos sistemas financeiro-creditícios mais complexos e sofisticados. Cada etapa em direção ao desenvolvimento de um sistema de pagamento mais complexo, como foi o caso da introdução dos certificados emitidos pelos bancos (no início integralmente e, depois, só parcialmente lastreados em moeda-metálica), assim como a introdução de depósitos bancários, deu ensejo a novos debates e controvérsias sobre a teoria e a boa prática monetária. As dificuldades analíticas iniciais foram eventualmente superadas com a redefinição das linhas de demarcação entre o que era a moeda-metálica pura, a quase moeda — como os certificados bancários de grande circulação — e o crédito. Essas demarcações eram tidas como importantes porque o estoque de moeda-metálica — e somente o estoque de moeda-metálica pura — era considerado relevante tanto para a determinação do nível dos preços como para a liquidação de obrigações relativas às transações internacionais.

IV

A Teoria Quantitativa da Moeda, segundo a qual o estoque de moeda determina o nível de preços, $M \cdot V = P \cdot T$, é provavelmente uma das mais antigas e mais conhecidas relações teóricas na economia. Foi primeiro formulada por David Hume, no século XVII. É baseada na observação de que deve haver uma proporcionalidade V entre o estoque de moeda M, usada no pagamento de todas as transações T, a um nível de preços P. Esta relação é de fato uma identidade — verdadeira por definição —, supondo-se que todas as transações sejam efetivamente pagas em moeda e que o estoque seja totalmente utilizado para pagar transações. Numa economia do século XVII, na qual havia uma moeda-mercadoria e na qual os mercados financeiros eram relativamente pouco sofisticados, essa era provavelmente uma boa aproximação da realidade. Mesmo assim, saltar da identidade quantitativa, $M \cdot V = P \cdot T$ para a afirmação de que o estoque de M determina P requer duas hipóteses adicionais que são cruciais. Primeiro, que V, a velocidade de circulação da moeda, seja constante; segundo, que M, o estoque de moeda, seja uma variável exogenamente determinada. Em sua *Teoria geral*, Keynes questionou a constância de V, especialmente quando a economia estivesse em condições recessivas deflacionárias, uma situação à qual ele deu o nome de armadilha da liquidez. A constância na velocidade de circulação da moeda, V, se tornou o centro de um aguerrido debate entre os monetaristas e os keynesianos nas décadas de 1960 e 1970. A velocidade de circulação emergiu não mais como uma constante, e sim como uma função estável de variáveis conhecidas num dado contexto institucional, sendo a principal delas a taxa nominal de juros. Já o entendimento de que a oferta de moeda, M, seria uma variável exógena, sob controle dos Bancos Centrais, era dado como ponto pacífico até muito recentemente. A verdade é que desde os primeiros debates sobre questões monetárias, na Inglaterra do século XVIII, houve quem questionasse o caráter exógeno de M, mas aqueles que viam a moeda e o crédito como uma variável endógena ao sistema nunca conseguiram predominar e ser incorporados à ortodoxia da teoria monetária.[4]

Ainda que a moeda seja considerada uma variável exógena, para que ela determine o nível de preços, como pretende a TQM, é necessário que haja uma explicação de por que e como um aumento no estoque de moeda se traduz em um aumento do nível de preços. A TQM nunca definiu muito claramente os chamados mecanismos de transmissão da moeda para os preços. Jamais houve uma explicação clara de como a oferta de moeda afeta a demanda agregada e o nível de preços. À época de David Hume, sob a visão mercantilista prevalecente, segundo a qual o estoque de ouro do país era uma boa medida da riqueza nacional, fazia sentido acreditar que o aumento da quantidade de moeda, que era essencialmente equivalente ao estoque de ouro, corresponderia de fato a um aumento da riqueza do país.

Que um aumento da riqueza do país (como aconteceu com o influxo do ouro da América) levasse ao aumento da demanda e pressionasse os preços, faz sentido numa economia estagnada como era a da Europa no século XVII. Já numa economia com um sistema financeiro, ainda que rudimentar, mas com ao menos um único instrumento de dívida, como um título financeiro que pague juros, o mecanismo de transmissão deveria requerer no mínimo mais alguns passos. O aumento da quantidade de moeda levaria a uma maior demanda pelos títulos financeiros, o que provocaria a queda da taxa de juros, o que por sua vez estimularia a demanda agregada.

V

O período de 1797 a 1821, no qual, por decisão do Parlamento inglês, foi suspensa a conversibilidade da moeda em ouro no país, provocou um grande debate que ficou conhecido como a "controvérsia bulionista". Enquanto os bulionistas sustentavam que a estabilidade monetária exigiria a conversibilidade, os antibulionistas não viam nisso uma garantia da estabilidade financeira. Questionavam ainda algumas premissas básicas do que veio a ser a ortodoxia monetária, como a exogeneidade da oferta de moeda e o sentido da causalidade da moeda para os preços. Para os antibulionistas, o nível geral de preços não era resultado da quantidade de moeda, mas ao contrário, a quantidade de moeda é que dependia do nível de preços. Mais tarde, em meados do século XIX, no que veio a ser a segunda rodada da controvérsia monetária na Inglaterra, a chamada Banking School, em oposição à Currency School, retomou os argumentos dos antibulionistas e voltou a questionar o sentido da causalidade da moeda para os preços.[5]

Thomas Tooke, por exemplo, um dos principais expoentes da Banking School, alegou em seu panfleto de 1844, *Uma investigação sobre o princípio da moeda*, que a quantidade necessária de moeda em circulação era uma variável endógena, e não exógena, e que, ao contrário do que propõe a TQM, são os preços que determinam a quantidade de moeda na economia. À época, a crítica de Tooke à Currency School e à TQM foi recebida com grande interesse por, entre outros, John Stuart Mill, que viu na tese "uma discordância irreconciliável" em relação à doutrina estabelecida. Stuart Mill sugeriu a seus contemporâneos que dessem ouvidos às ideias inovadoras de Tooke, pois elas mereciam "uma atenção respeitosa".[6] Mas eles parecem não ter concordado, pois a interpretação de Tooke nunca foi incorporada à ortodoxia monetária.

Henry Thornton, antes de Tooke, foi outro antibulionista com ideias inovadoras e heterodoxas também quase completamente esquecido. Hicks e Hayek estão entre as raras exceções de analistas que deram atenção às teses dos antibulionistas. Hicks dedicou um capítulo de seu livro *Critical Essays in Monetary Theory*[7] às considerações de Thornton. Hayek considerou que, "apesar de os méritos de Thornton terem ficado por muito tempo encobertos pela fama de Ricardo, agora já se reconhece que, no que diz respeito à moeda, a principal contribuição do período clássico deve-se a ele".[8]

As mesmas questões e dúvidas voltaram à baila um século mais tarde, na Cambridge inglesa, com nomes como os de Nicholas Kaldor e Joan Robinson.[9] A Escola Estruturalista Latino-Americana da década de 1950, associada a nomes como José Olivera, Juan Noyola e outros, desenvolveu uma teoria não monetária da inflação, mas os defensores da ortodoxia monetária nunca tomaram conhecimento desses autores, de suas críticas e de seus esforços para desenvolver uma alternativa analítica.[10] Para a teoria monetária dominante, a hipótese de que a moeda é uma variável exógena e de que o sentido da causalidade seria da moeda para os preços continuou inquestionada durante décadas, até o fim do século XXI.

É compreensível que aqueles que questionam a importância da conversibilidade e defendem a moeda fiduciária tendam a questionar o caráter exógeno de M, bem como a causalidade da moeda para os preços. Ao partir de uma teoria creditícia da moeda, em oposição a uma teoria monetária do crédito, é mais fácil aceitar a moeda fiduciária e compreender que a estabilidade do sistema monetário não depende necessariamente, nem é garantida, pela conversibilidade da moeda. Foi David Hume quem formulou a estrutura analítica a partir da qual os teóricos quantitativistas clássicos como David Ricardo desenvolveram seus estudos. Hume se baseia na moeda como meio de pagamento; desenvolveu portanto uma teoria monetária do crédito, na classificação de Schumpeter. A adoção de uma estrutura lógica que vai da moeda para o crédito foi o roteiro natural seguido pelos economistas clássicos. Isso explica a longa predominância das teorias quantitativistas, resultado natural de quando se considera primeiro a moeda para só em seguida se pensar o crédito. A grande maioria dos economistas clássicos começou suas análises monetárias a partir do processo de trocas numa economia na qual os pagamentos eram feitos através da transferência de uma moeda-mercadoria. Só mais tarde, diante da evolução do sistema financeiro, as revisaram para incluir o papel-moeda, os certificados e os depósitos bancários. A evolução financeira levou a sucessivas redefinições do que é moeda, a chamada quase moeda, constituída por ativos financeiros de alta liquidez, e do que é crédito. A moeda-mercadoria se manteve, no entanto, como a pedra angular da estrutura analítica clássica. A tese de Hume ganhou força com os bulionistas, entre eles David Ricardo, que por sua vez exerceu profunda influência sobre os membros da Currency School. Os bulionistas e os adeptos da Currency School foram os quantitativistas originais. Thornton e Tooke, em contrapartida, foram os principais expoentes do antibulionismo e da Banking School na controvérsia monetária inglesa. Ao contrário de Hume e de Ricardo, eles partiram do crédito para entender a moeda. Ao formular teorias creditícias da moeda não se superestima a importância da materialidade da moeda. É também mais fácil compreender que a propriedade essencial da moeda não é a de servir como meio de pagamento, e sim a de servir como unidade de conta, o padrão universal de valor.

VI

Até recentemente, a maioria dos estudos sobre a evolução dos sistemas de pagamento pressupunha que a moeda teria precedido o crédito na história econômica.[11] Essa pressuposição falha ao não perceber que a moeda não pode existir antes que surja uma unidade de conta universal, e que uma unidade de conta universal não pode ser dissociada da noção contábil de débito e crédito. A moeda física não é essencial para a existência de um sistema de débitos e créditos, mas sem um sistema contábil de débitos e créditos não é possível definir uma unidade padrão de valor e, portanto, não é possível ter uma moeda, nem mesmo uma moeda-mercadoria. É a existência de uma unidade de crédito e débito, de uma unidade de conta, de um padrão universal de valor, que define a moeda. Não se pode defini-la antes que se estabeleça uma unidade contábil abstrata. A existência da moeda requer a existência de unidade de conta, mas o inverso não é necessariamente verdade — a existência de uma unidade de conta não requer a existência de uma moeda física. Provavelmente essa é a razão pela qual Hicks sustenta que o crédito precedeu a moeda na história.[12] Os comerciantes só passaram a usar um meio de troca de aceitação universal depois da adoção de uma unidade universal de conta.[13]

A aceitação universal da moeda por seu valor nominal para quitação de dívida — sua propriedade de liquidez absoluta — não pode ser dissociada do fato de que ela sirva como unidade de conta. É por ser o padrão universal de valor que faz com que, por definição, a moeda tenha perfeita liquidez. Ao partir da moeda-mercadoria, ao se formular teorias monetárias do crédito, tende-se a se desconsiderar esse elemento lógico crucial para o entendimento da essência da moeda. A moeda pode perder seu valor aquisitivo ou se desvalorizar em relação a seu lastro, a uma commodity de referência como o ouro, num regime de conversibilidade parcial. Mas continuará a ser moeda enquanto for usada como a unidade de conta na qual são fixados os preços.[14] Na história da teoria monetária, a confusão entre o valor do lastro de uma moeda conversível — o seu conteúdo de ouro, por exemplo — e a própria moeda deu origem a um grande número de equívocos. Enquanto preços não forem cotados em unidades de ouro, mesmo quando a moeda é conversível em ouro, o ouro não é moeda; é simplesmente a margem de garantia das unidades de débito e crédito da moeda fiduciária. A moeda é uma unidade contábil por meio da qual os preços são cotados. Ela pode ou não ter uma margem de garantia mercantil — como nos casos da moeda conversível ou puramente fiduciária—, mas toda moeda é essencialmente um título de dívida cujo emitente goza de credibilidade e cujo valor nominal unitário é utilizado para a cotação dos preços.

VII

O conceito de que o crédito tem precedência lógica em relação à moeda é uma ideia controversa nunca integralmente incorporada à ortodoxia da teoria monetária. Com antibulionistas como Thornton e Tooke marginalizados e esquecidos, a compreensão de que a materialidade não é uma característica essencial da moeda, de que um sistema de pagamentos pode ser integralmente escritural, teve que esperar por Knut Wicksell para ser revisitada.

No prefácio a seu *Interest and Prices: A Study of the Causes Regulating the Value of Money*, publicado pela primeira vez em 1898, Wicksell diz que seu objetivo primordial era examinar "os argumentos a favor e contra a Teoria Quantitativa". Para ele, os críticos da TQM estavam certos, uma vez que a teoria, "mesmo na forma em que é descrita nos textos verdadeiramente clássicos de Ricardo sobre a moeda, é suscetível a objeções demais [...] para ser aceita sem modificação". Mas seus críticos, mesmo os mais proeminentes como Tooke e seus seguidores, nunca foram capazes de formular uma alternativa coerente para substituí-la.

Wicksell argumentou que sistemas de pagamentos podiam ser classificados segundo seu nível de sofisticação. Num extremo estaria uma economia puramente monetária, sem crédito nem sistema financeiro, na qual a totalidade dos pagamentos seria feita em espécie. No extremo oposto estaria uma economia financeira altamente sofisticada, na qual a proporção dos pagamentos feitos em espécie seria irrisória. Esta foi denominada por Wicksell como uma "economia de puro crédito". A TQM é uma descrição razoável do funcionamento de uma economia com um sistema de pagamentos puramente monetário, mas se torna uma descrição cada vez menos realista à medida que o sistema de pagamentos da economia evolui em direção a um sistema puramente contábil e que o sistema financeiro se sofistica. Quanto mais próximo de um sistema puramente contábil, da economia de puro crédito, mais endógena e instável é a velocidade de circulação da moeda, que pode chegar a valores extremos, com a chance de tender tanto para zero como para infinito. Um sistema de pagamento puramente contábil não requer a existência da moeda física para — de forma endógena — criar ou destruir qualquer quantidade de liquidez. A partir de uma base monetária física irrisória, quase nula, um sistema financeiro sofisticado é capaz de criar e destruir liquidez de maneira irrestrita.

Wicksell formulou também uma alternativa original e coerente para a TQM, baseada na dinâmica entre a taxa financeira de juros e a taxa real de retorno dos investimentos, que ele chamou de taxa natural de juros. Defrontou-se então com a questão que sempre assombrou os macroeconomistas quando a TQM é descartada: se não é a moeda, o que determina o nível de preços? Wicksell foi o primeiro a reconhecer que ele também não foi capaz de dar uma resposta satisfatória a essa pergunta. Em seu último trabalho, *The Monetary Problem of the Scandinavian Countries* (1925), ele menciona a sua perplexidade diante das "irracionais" flutuações do nível de preços. E reconhece desalentadamente que "preferiria ouvir alguém que fosse capaz de expressar uma opinião autorizada sobre essas questões muito antes de tentar eu mesmo qualquer explicação".[15]

A abordagem inovadora de Wicksell, segundo a qual o crédito afeta a demanda agregada através da interação entre a taxa de juros do mercado financeiro e a taxa natural de juros, ficou posta de lado, quase esquecida, dado o total domínio da TQM, até um século mais tarde. No início do século XXI, Michael Woodford, em seu livro intitulado *Interest & Prices*

(2003), adotou o que ele chamou de uma "abordagem neo-wickselliana para um macromodelo neokeynesiano", e que a partir de então se tornou a referência dos modelos macroeconômicos.[16] Nesses modelos woodfordianos, a moeda sai completamente de cena e a taxa de juros se torna a variável da política monetária, através da qual as autoridades monetárias controlam a demanda agregada e o nível dos preços. Assim como na economia desmonetizada integralmente contábil, ou puramente creditícia — na denominação de Wicksell —, no mundo neokeynesiano sem moeda não há nada que ancore os preços nominais. O nível de preços, segundo uma analogia criada por Wicksell, estaria submetido a uma dinâmica semelhante à de um cilindro sobre uma superfície plana rugosa: existiria alguma inércia, mas ele acompanharia a inclinação da superfície, que representaria a pressão da demanda agregada.

O fato de que o nível de preços fique indeterminado quando não há uma oferta exógena de moeda é decorrência lógica de que existe um número infinito de combinações entre moeda, M, e preços, P, compatíveis com determinado equilíbrio do valor real do estoque de moeda M/P, também chamado do nível de encaixes reais na literatura macroeconômica. Essa indeterminação, que já estava clara para Wicksell, foi redescoberta no início do século XXI, quando por fim se compreendeu que a taxa de juros, e não a oferta de moeda, era efetivamente a variável instrumental da política monetária.[17]

VIII

Na história da teoria monetária existe uma clara correlação entre os que apoiam a TQM e os que têm a moeda-mercadoria como ponto de partida de sua análise. Já os que adotam a moeda fiduciária como ponto de partida tenderam sempre a ser mais críticos à TQM. Esse é o motivo pelo qual os antibulionistas e a Banking School estavam menos inclinados a ser quantitativistas. Na classificação das economias segundo o grau de sofisticação financeira proposta por Wicksell, existem dois casos conceituais extremos. O primeiro é o de uma economia com uma moeda-mercadoria, mas sem mercado financeiro nem crédito. O segundo é o de uma economia na qual não há circulação de moeda, na qual há apenas uma unidade de conta, portanto puramente contábil, mas com um sistema financeiro e creditício sofisticado. Uma economia de puro crédito na denominação de Wicksell. As economias modernas sempre estiveram em algum ponto intermediário entre esses dois casos conceituais extremos. A economia inglesa do século XVII já tinha um sistema financeiro; não poderia, portanto, ser enquadrada no caso extremo de uma economia puramente monetária, com uma moeda-mercadoria, mas seu setor financeiro ainda era relativamente pouco sofisticado, se comparado com o setor financeiro de uma economia desenvolvida na segunda metade do século XX. Estava assim um pouco mais próxima do caso extremo de uma economia puramente monetária. É provável que isso explique a vitória prática dos bulionistas e a vitória intelectual da TQM, no início do século XIX. O apelo intuitivo de um sistema conceitual puramente monetário, sem crédito, baseado numa moeda-mercadoria, era muito mais forte dois ou três séculos atrás do que é hoje. Quando Wicksell desenvolveu a sua teoria monetária, no final do século XIX, os sistemas financeiros já eram mais sofisticados. É provável que já estivessem mais próximos do extremo de uma economia puramente contábil, de puro crédito, do que do extremo de uma economia puramente monetária, baseada numa moeda-mercadoria.

Ainda assim, o sofisticado e coerente arcabouço teórico proposto por Wicksell, na qual a TQM poderia ser entendida como um caso particular, o de uma economia monetária simples sem sistema financeiro, levou mais de um século para chegar ao primeiro plano da teoria macroeconômica. O prolongado domínio da TQM é realmente difícil de ser explicado. Nunca houve evidência empírica que sustentasse a tese da velocidade de circulação da moeda como uma constante, nem mesmo como uma função estável da taxa nominal de juros. Também nunca houve evidência clara de que o sentido da causalidade fosse da moeda para os preços. Portanto, a única explicação para o prolongado domínio da TQM é que, sem ela, não se tinha uma alternativa teórica para ancorar o nível de preços. Na ausência de uma alternativa satisfatória, uma teoria simples e bem estabelecida é capaz de resistir à evidência contrária por muito mais tempo do que se poderia imaginar.

IX

No mundo contemporâneo, com a revolução digital a todo vapor, as economias desenvolvidas estão mais perto do que jamais estiveram do ideal-tipo da economia desmonetizada, puramente contábil, ou de puro crédito. A economia sem moeda-papel já deixou de ser apenas uma possibilidade teórica; é hoje perfeitamente factível. Em alguns países, como a Suécia e a Coreia do Sul, o processo já atingiu um estágio avançado, mas em toda parte a evolução rumo a um sistema de pagamentos puramente contábil é claro e irreversível.[18] O fim da moeda-papel, do dinheiro em espécie, não está longe, mas a moeda física não é o único componente da atual definição de moeda que está a caminho da extinção. Também os depósitos à vista nos bancos têm seus dias contados. Assim como aconteceu com as notas bancárias negociáveis nos primórdios dos sistemas bancários, e também com os cheques algumas décadas atrás, os depósitos bancários acabarão substituídos por sistemas eletrônicos de pagamentos interconectados. A intermediação financeira também deverá dispensar o uso da moeda, através dos sistemas eletrônicos de pagamentos integrados a um sistema também eletrônico de liquidação e custódia de ativos financeiros. O papel da moeda, tanto como meio de pagamento quanto como intermediação financeira, terá então desaparecido, mas sua propriedade essencial, a de ser a unidade de conta, a referência universal de valor na qual os preços são cotados, continuará indispensável.

Numa economia desmonetizada, puramente contábil, a política monetária é obrigatoriamente uma política de taxa de juros, mas, com o desuso dos depósitos bancários, as reservas compulsórias nos Bancos Centrais precisarão ser redefinidas. O fim dos depósitos à vista deverá acelerar e radicalizar o processo de encolhimento dos mercados de reservas bancárias, até seu completo desaparecimento.[19] O fim de reservas compulsórias fracionárias e a exigência de reservas integrais, correspondentes a 100% dos depósitos (como foi proposto pelo Plano de Chicago de 1933), combinado com as reservas compulsórias calculadas sobre os ativos das instituições financeiras, provavelmente teria sido sempre uma alternativa melhor para garantir a estabilidade do sistema financeiro. Numa economia desmonetizada, puramente contábil, a taxa básica de juros deverá continuar a ser a taxa sobre as reservas nos Bancos Centrais, mas à medida que a economia se aproxima do ideal--tipo desmonetizado, de puro crédito, as reservas bancárias serão constituídas sobretudo por depósitos voluntários nos Bancos Centrais.[20] Nesse caso, não há razão para que a condução da política de juros se restrinja à taxa curta do overnight, como fazem hoje a maioria dos Bancos Centrais. A política monetária poderia ser feita através de toda a estrutura a termo estabelecida para as taxas de juros nos depósitos do sistema bancário no Banco Central. Isso seria tão ou máis eficiente do que a política monetária tradicional, baseada na taxa de juros overnight combinada com operações de mercado aberto nos títulos públicos. Teria, além do mais, a vantagem de separar com clareza o componente de juros do componente de liquidez da política monetária. O componente de juros seria implementado através da estrutura a termo definida para a remuneração dos depósitos no Banco Central. Não seria mais necessário utilizar as operações de mercado aberto para influenciar indiretamente a estrutura a termo das taxas de juros. Tanto as tradicionais operações de mercado aberto com títulos públicos como as novas e menos ortodoxas operações de Quantitative Easing (QE) poderiam ser utilizadas apenas para o controle da liquidez dos mercados.

À medida que as economias contemporâneas se aproximam do ideal-tipo wickselliano da economia desmonetizada, de puro crédito, não existe mais um agregado monetário básico. Todo crédito é endogenamente criado ou destruído e, em princípio, ilimitado. Desde o fim do século XVII, tal fato foi mais bem compreendido pelos que optaram por abordar as questões monetárias a partir do crédito, que pensavam em termos de teorias creditícias da moeda, na nomenclatura de Schumpeter. Uma vez compreendido que a moeda é, em essência, a unidade de conta na qual os preços são cotados, que o crédito e a liquidez são endógenos, os agregados monetários não podem mais ser considerados a âncora dos preços. Tal fato foi redescoberto na macroeconomia contemporânea, primeiro por Sargent e Wallace (1975) e mais tarde, na década de 1990, pela macroeconomia neokeynesiana de Michael Woodford. Os modelos macroeconômicos neokeynesianos do século XXI, formulados com base na proposta original de Woodford (2003), deixaram os agregados monetários de lado e adotaram a taxa de juros como instrumento da política monetária. Embora se declare wickselliana, a abordagem de Woodford, além de excluir a moeda de seu arcabouço analítico, exclui também o crédito, o setor financeiro e a função investimento. Infelizmente, isso desfigura por completo a "alternativa coerente" à TQM proposta por Wicksell.

A descrição original e sofisticada da dinâmica macroeconômica proposta por Wicksell, como vimos, estava baseada na interação entre a taxa juros do mercado financeiro e o retorno real do capital, ou a taxa natural de juros. Dessa dinâmica resulta um mecanismo cíclico, no qual a criação endógena e cumulativa de crédito é eventualmente revertida, levando à destruição também endógena do crédito e da liquidez. O caráter endógeno e cumulativo do crédito é crucial para explicar os ciclos de expansão e de contração nas economias com mercados financeiros desenvolvidos. A dificuldade de compreender tais características faz com que se deixe de perceber o ponto central da economia puramente escritural de Wicksell. Dado que as economias desenvolvidas contemporâneas estão mais próximas do ideal-tipo escritural, de puro crédito, os modelos que não incorporem o sistema financeiro e o processo cumulativo de Wicksell — como é o caso dos modelos neokeynesianos baseados em Woodford — não são capazes de iluminar o caráter cíclico e endógeno das economias financeiras contemporâneas. Não podem, portanto, servir de referência para balizar a condução da política monetária. A política monetária baseada num modelo verdadeiramente wickselliano deveria adotar medidas macroprudenciais contracíclicas muito antes que o ciclo expansivo do crédito viesse a se reverter, pois é justamente a súbita reversão endógena do crédito que provoca o colapso da liquidez e as crises bancárias. Essa é a razão pela qual é importante impor limites à alavancagem no sistema e definir metas para a inflação dos preços dos ativos financeiros. A instabilidade cíclica de mercados financeiros foi ressaltada por Charles Kindleberger e ocupa lugar central na obra de Hyman Minsky, mas até muito recentemente, quando não ignorados por completo pela ortodoxia macroeconômica, suas contribuições foram percebidas como meras curiosidades intelectuais.[21]

X

Como no modelo wickselliano de puro crédito, integralmente escritural, não há agregados monetários, a questão da indeterminação do nível de preços continua sem resposta. A analogia sugerida por Wicksell — a de um cilindro sobre uma superfície plana rugosa — talvez seja a melhor descrição do comportamento do nível de preços. O nível de preços e, portanto, também a inflação são de fato desancorados. São primordialmente função da sua história, do passado que alimenta as expectativas sobre seu comportamento futuro. Uma vez posta em marcha, a inflação tem alto nível de inércia. Enquanto o intervalo entre a remarcação dos preços não for tão curto que leve a moeda a perder sua propriedade essencial de unidade de conta, se não houver choques exógenos, a inflação tende a ser estável. Taxas estáveis de inflação são bem mais difíceis de ser influenciadas pela política monetária do que a velha curva de Phillips parecia indicar.[22] A questão sobre quais os principais fatores que atuam para tirar a inflação de seu equilíbrio inercial ainda está em aberto. Não se sabe se é sobretudo a taxa de juros e seu efeito sobre a demanda agregada, como sustenta a teoria macroeconômica contemporânea, ou se são os choques de oferta, como pretendiam muitos dos antibulionistas e, em tempos mais recentes, os macroeconomistas da Cambridge inglesa e da Escola Estruturalista Latino-Americana. O que está claro é que a inércia é tanto mais forte quanto mais bem ancoradas estiverem as expectativas. Expectativas bem ancoradas são o resultado de uma inflação estável por um período longo de tempo. Independentemente do nível da inflação, se ela estiver estabilizada por algum tempo, as expectativas ficarão ancoradas no nível observado. Taxas muito altas de inflação tendem à aceleração, mas, enquanto os intervalos entre os reajustes de preços for longo o bastante para que a moeda não perca sua propriedade de unidade de conta, a inflação tenderá à estabilidade inercial. A inflação é sempre muito mais estável do que se imagina. Ocorre que uma inflação sistematicamente abaixo da meta será considerada uma ameaça de deflação, e uma inflação sistematicamente acima da meta será considerada uma inflação crônica, enquanto que a inflação sistematicamente dentro da meta será interpretada apenas como sinal da eficácia da política monetária.

No arcabouço wickselliano de uma economia puramente escritural, fica claro que o sentido da causalidade nem sempre é da liquidez para os preços. Quando a inflação se torna mais instável, a expectativa de que ela se acelere leva à expansão do crédito e da liquidez. As expectativas de inflação mais alta são embutidas nos contratos financeiros e provocam a expansão monetária. Se a liquidez e a inflação não aumentam na proporção projetada pelos contratos financeiros, o resultado é uma taxa real de juros a posteriori mais alta do que o previsto, com transferência de riqueza dos devedores para os credores. O aumento das inadimplências e o pânico provocam uma súbita contração endógena da liquidez que pode levar a uma crise financeira de grande proporção. O processo é semelhante ao descrito por Irving Fisher, ao qual ele denominou "crise de deflação de dívida" (*debt deflation crisis*). Assim como a deflação, a inflação substancialmente inferior à prevista aumenta o valor real das dívidas. Essa é a razão pela qual a tentativa de controlar a inflação crônica através de um inesperado aperto na liquidez tem maior probabilidade de provocar recessões e crises bancárias do que de levar à estabilização dos preços.[23] O aumento exógeno da liquidez através das operações de compra de títulos pelos Bancos Centrais, a já mencionada política de QE, pode evitar que ocorra uma depressão profunda quando o crédito e a liquidez são endogenamente reduzidos de maneira drástica. Mas, como ficou claro com o experimento radical da política monetária desde a crise financeira de 2007, o processo é assimétrico e a injeção exógena de liquidez é incapaz de reiniciar o ciclo ascendente do crédito. Tanto a demanda agregada quanto a inflação permaneceram abaixo das metas estabelecidas pela política monetária.

XI

A política monetária no século XXI deverá levar em conta o fato de que as economias contemporâneas estão muito mais próximas do ideal-tipo da economia puramente escritural, desmonetizada e com um sistema financeiro sofisticado, do que do ideal-tipo da economia monetária na qual os pagamentos são feitos através de uma moeda-mercadoria. Com a crise financeira de 2007 e a monetização radical dos QE, ficou claro que não fazia sentido ter mantido até pouco tempo atrás a TQM como a espinha dorsal da teoria monetária. A TQM pode ter sido uma aproximação razoável da realidade para as economias do passado, puramente monetárias, com o sistema de pagamentos lastreado numa moeda-mercadoria, mas teve uma vida muito mais longa do que deveria. Diante da evolução financeira das economias modernas, a TQM deveria ter sido aposentada há tempos. Só a partir do livro de Woodford, de 2003, a TQM desapareceu da fronteira acadêmica da macroeconomia. O modelo desmonetizado de Woodford, com metas de inflação acopladas a uma regra para as taxas de juros — a chamada Regra de Taylor —, se tornou então a referência para a condução da política monetária. Infelizmente, os modelos woodfordianos, apesar de se pretenderem wicksellianos, deixaram de lado o ponto principal da inovadora contribuição de Wicksell: os ciclos endógenos e cumulativos, resultado da interação entre a taxa financeira e a taxa natural de juros, que podem dar margem a bolhas especulativas sucedidas por crises de liquidez. Os novos modelos DSGE neokeynesianos, que passaram a dominar a literatura macroeconômica desde meados de 1990, demonstraram ser tão irrelevantes quanto irrealistas. A atração dos modelos DSGE, assim como a da Teoria Quantitativa antes deles, deve-se ao fato de que constituem estruturas analíticas que dão respostas relativamente simples e universais, para a formulação de políticas monetárias. Mas as questões monetárias não permitem respostas abstratas, pois dependem de contextos institucionais específicos que não podem ser abstraídos sem prejudicar seu entendimento.

Em 1936, Bertil Ohlin, na introdução à primeira edição inglesa de *Interest and Prices*, de Wicksell, diz que, "mediante sua brilhante hipótese de uma economia de puro crédito, Wicksell foi capaz de escapar da tirania que o conceito de "quantidade de moeda" tinha até então exercido sobre a teoria monetária". Infelizmente, essa tirania teve um domínio muito mais prolongado na teoria e na prática das políticas monetárias. Até mesmo quando foram finalmente abandonadas, substituídas pela nova ortodoxia woodfordiana, as lições essenciais de Wicksell continuaram a ser desconsideradas. A revolução digital da informática está levando a economia contemporânea a se aproximar com rapidez do ideal-tipo wickselliano da economia de puro crédito. Com o surgimento da chamada *blockchain*, a revolução já em curso dos sistemas de pagamentos deverá se acelerar. Um novo modelo de referência para a teoria monetária deverá sucatear em definitivo os vestígios do quantitativismo das teorias monetárias do crédito e recomeçar a partir das teorias creditícias da moeda. O arcabouço wickselliano clássico deveria ser o ponto de partida natural para essa urgente revisão da teoria monetária.

4
Juros e conservadorismo intelectual[1]

DESDE A ESTABILIZAÇÃO da inflação crônica, com o real — e já se vão mais de vinte anos —, a taxa básica de juros no Brasil causa perplexidade entre os analistas. Por que é tão alta? Inúmeras explicações foram ensaiadas, como distorções, psicológicas e institucionais, associadas ao longo período de inflação crônica com indexação; baixa poupança e alta propensão ao consumo, tanto pública como privada; e ineficácia da política monetária, entre outras.[2] Embora todas façam sentido e possam, no seu conjunto, ajudar a entender por que os juros são tão altos, nenhuma delas foi capaz de dar uma resposta convincente e definitiva para a questão.

As altíssimas taxas brasileiras ficaram ainda mais difíceis de serem explicadas diante da profunda recessão de 2015 e 2016. Como é possível que depois de dois anos seguidos de queda do PIB, de aumento do desemprego, que em 2017 já passa de 12% da força de trabalho, a taxa de juros no Brasil continue tão alta, enquanto no mundo desenvolvido os juros estão excepcionalmente baixos? Há quase uma década, nos Estados Unidos e na Europa, e há três décadas no Japão, os juros estão muito próximos de zero ou até mesmo negativos, mas no Brasil a taxa nominal é de dois dígitos e a taxa real continua acima de 7% ao ano.

A taxa cobrada pelo Banco Central por um dia — a taxa overnight — pelas reservas bancárias influencia toda a estrutura de taxas do sistema financeiro. Por isso é considerada a taxa básica, ou de referência, da economia. É também o principal instrumento da política monetária. Juros mais altos reduzem a demanda agregada, desaquecem a economia e moderam a inflação; juros mais baixos elevam a demanda agregada, aquecem a economia e pressionam a inflação. Essa é a essência do mecanismo de funcionamento da política monetária. Há muitas interpretações sobre os chamados "canais de transmissão", inúmeras sofisticações analíticas, mas, em síntese, juros mais altos reduzem a demanda agregada e moderam a inflação. A macroeconomia moderna tem sua origem nas discussões sobre a Grande Depressão dos anos 1930 e é essencialmente baseada na *Teoria geral* de Keynes, embora tenha evoluído muito desde então.

Quanto à inflação, sempre houve controvérsia. Diferentes versões dos modelos macroeconômicos tinham diferentes interpretações sobre as causas e a melhor forma para controlar a inflação. O debate entre monetaristas e keynesianos, na segunda metade do século xx, deu lugar a um consenso pós-keynesiano. Com o reconhecimento de que instrumento usado pelos Bancos Centrais não são os agregados monetários, mas sim a taxa de juros e a adoção das metas para a inflação, chegou-se ao atual relativo consenso sobre a condução da política monetária.

A teoria monetária, mais ainda do que outras áreas da economia, sempre esteve associada a um contexto histórico e institucional específico. Como estudada nas escolas de economia, tem sua origem estabelecida nas discussões sobre moeda e crédito na Inglaterra. Duas grandes vertentes se formaram, a partir do debate das primeiras décadas do século XVIII, quando a conversibilidade da moeda em ouro foi interrompida pelo Banco da Inglaterra. O debate entre os defensores da conversibilidade e os que não viam necessidade de uma moeda lastreada define, até hoje, as duas grandes linhas teóricas sobre moeda e crédito.

Os bulionistas, defensores da conversibilidade, foram os primeiros quantitativistas, para quem a quantidade de moeda determina o nível de preços. A vitória intelectual dos bulionistas tornou a chamada Teoria Quantitativa da Moeda a hipótese dominante na macroeconomia. Os antibulionistas, para quem a relação causal poderia ser inversa, ou seja, são os preços que determinariam a quantidade de moeda, foram relegados a um segundo plano, quando não ao completo ostracismo.

Partes das teses dos antibulionistas foram resgatadas, no fim do século XIX, pelo economista sueco Knut Wicksell, mas nunca chegaram a ser incorporadas à teoria dominante. Só ressurgiram quando Michael Woodford, já no início deste século, deu ao seu modelo neokeynesiano alguns toques wicksellianos. Tanto Keynes como seus seguidores, apesar da acirrada controvérsia, dos anos 1960 e 1970 do século XX, com os monetaristas liderados por Milton Friedman, eram essencialmente quantitativistas. Vozes destoantes, tanto na Cambridge inglesa como na América Latina, nunca chegaram a ser levadas a sério pela ortodoxia. Embora continuem a ser utilizados pelos analistas e pelos economistas práticos, os modelos quantitativistas, tanto o keynesiano como o monetarista, são hoje considerados ultrapassados. Na fronteira teórica, foram substituídos pelos modelos neokeynesianos, com expectativas racionais, que deixam a moeda de lado e focam apenas na taxa de juros como instrumento de controle da inflação.

A experiência revolucionária dos Bancos Centrais do mundo desenvolvido, desde a grande crise financeira de 2008, não deixa dúvida: todos os modelos macroeconômicos que adotam alguma versão da Teoria Quantitativa da Moeda estão equivocados e devem ser aposentados de uma vez por todas. Os Bancos Centrais aumentaram a oferta de moeda numa escala nunca vista. O Fed, por exemplo, aumentou as reservas bancárias de 50 bilhões para 3 trilhões de dólares, ou seja, multiplicou a base monetária por sessenta, num período inferior a dez anos. A inflação não explodiu: ao contrário, continuou baixa, por incrível que pudesse parecer. O mesmo aconteceu no Japão, na Inglaterra e nas economias da zona do euro. Diante do aumento, de fato extraordinário, da oferta de moeda, a inflação se manteve excepcionalmente baixa e ainda menos volátil.

Nas ciências sociais, o teste empírico de hipóteses teóricas é mais complicado do que nas ciências exatas. Nestas é possível fazer experiências em laboratórios, com controle das variáveis envolvidas. Embora a economia seja uma ciência social com pretensão de se equiparar às ciências exatas, o teste empírico dos modelos teóricos — em especial na macroeconomia, onde muitos fatores estão simultaneamente em jogo — é uma arte. O abuso da formalização matemática só mascara os graves problemas de identificação estatística. Esta é a essência da recente e dura crítica de Paul Romer, atual economista-chefe do Banco Mundial, a toda a teoria macroeconômica contemporânea.[3] Com a experiência radical dos Bancos Centrais das economias avançadas, tem-se, entretanto, uma oportunidade única. A chamada "flexibilização quantitativa" (QE) replica o que seria uma experiência de laboratório para observar o efeito sobre os preços de um extraordinário aumento da quantidade de moeda. A resposta contradiz o que sustentava a teoria monetária quantitativista e a macroeconomia ensinada nas grandes escolas até pouco tempo atrás: nada acontece. A inflação não explode, continuando estável e impassível.

Os modelos monetaristas, cujo cerne era a TQM, expressa na equação $MV = PY$, talvez a relação mais conhecida de toda a teoria econômica, pressupõem que a velocidade de circulação da moeda, V, seja estável. Logo, com o nível de atividade econômica, Y, mais ou menos constante, um brutal aumento da quantidade de moeda, M, levaria a um aumento proporcional do nível de preços, P, e, portanto, a uma explosão inflacionária. Não foi o que ocorreu.

Os modelos neokeynesianos, até hoje usados pelos Bancos Centrais, sustentam que a inflação pode ser estabilizada através de uma regra para os juros. Segundo a chamada regra de Taylor, para estabilizar a inflação, os juros devem ser reduzidos ou aumentados mais do que proporcionalmente e de maneira inversa ao movimento observado na inflação. Se a política monetária for passiva, ou seja, não reagir de maneira inversa e mais do que proporcional aos movimentos observados na taxa de inflação, a inflação ficará instável. Assim que a taxa de juros atingisse, como de fato atingiu, um limite inferior nominal, próximo de zero, o processo deflacionário ia se tornar incontrolável. Tampouco foi o que ocorreu.

Os modelos neokeynesianos com expectativas racionais, onde a moeda é deixada de lado e só a taxa de juros aparece com o instrumento de política do Banco Central, deixam a inflação indeterminada: haveria uma infinidade de níveis de inflação compatíveis com determinado hiato de produto. As últimas versões dos modelos neokeynesianos resolvem essa indeterminação introduzindo a hipótese de Irving Fisher, segundo a qual a taxa de juros nominal de equilíbrio é igual à taxa real mais a expectativa de inflação futura. Neste caso, a inflação seria estável com uma política monetária passiva. São, portanto, modelos compatíveis com a experiência recente de inflação estável, apesar de a taxa de juros ter batido no seu limite nominal inferior. Tais modelos, além de alguns complicados problemas conceituais, para perplexidade geral, preveem que, no longo prazo, a relação entre a taxa de juros e a inflação é inversa à que sempre se acreditou: quando o Banco Central eleva a taxa de juros, a inflação não cai, mas aumenta; e, quando o Banco Central reduz a taxa de juros, a inflação não sobe, mas cai.

Veja-se a que ponto chegamos em matéria de confusão e perplexidade. Os Bancos Centrais promoveram uma experiência radical de expansão monetária. Duas das três versões dos modelos macroeconômicos dominantes preveem resultados incompatíveis com o que de fato ocorreu. O único modelo compatível com a estabilidade observada da inflação é o neokeynesiano mais recente, na sua vertente neofisheriana, utilizado apenas na fronteira acadêmica, pois, além de sérias complicações analíticas, inverte a relação entre juros e inflação. A condução da política monetária estaria assim, há décadas, equivocada. Esta não é, como poderia parecer, uma conclusão de contumazes críticos da teoria dominante. É o resultado lógico do arcabouço teórico da moderna macroeconomia, que inspira a condução das políticas monetárias no mundo, quando confrontado com evidência empírica dos últimos anos.

John H. Cochrane, professor na Universidade de Stanford, é um dos mais destacados expoentes do debate acadêmico na fronteira da macroeconomia e da teoria monetária. Em um longo e detalhado artigo, que acaba de ser publicado, Cochrane expõe, de forma clara e reduzida ao essencial, as diversas versões da ortodoxia macroeconômica. Em seguida, confronta a evidência empírica das últimas décadas com as simulações dos diferentes modelos. Ele conclui que o longo período de baixa inflação com taxas nominais de juros próximas de zero sugere que a teoria monetária está errada. Taxas de juros nominais mais altas, no longo prazo, resultam em inflação mais alta.[4]

Esta surpreendente reversão no longo prazo do sinal da política de juros é chamada de hipótese neofisheriana, em homenagem a Irving Fisher. Ao fixar a taxa nominal de juros, i, dada a taxa real de juros, r, determinada na esfera não monetária da economia pela equação de Fisher, $i = r + \mathbb{T}^*$, o Banco Central determina também a inflação esperada, $\mathbb{T}^*$. Os interessados na dedução analítica das conclusões não devem deixar de ler o artigo de Cochrane. A inversão do sinal do impacto dos juros sobre a inflação é essencialmente resultado das expectativas racionais, que não olham para trás, para o passado, como é o caso das expectativas adaptativas, e sim para a frente, para o futuro. A taxa nominal de juros, fixada pelo Banco Central, atua assim como sinalizador da inflação futura. O resultado é tão surpreendente quanto controvertido, pois há forte evidência de que, no curto prazo, juros mais altos reduzem a inflação. É preciso, portanto, compreender como é possível que a alta dos juros no curto prazo reduza e no longo prazo aumente a inflação.

Cochrane utiliza todo o arsenal das chamadas "distorções" em relação ao modelo de referência, para as quais os economistas apelam quando precisam compatibilizar o modelo analítico de referência com a realidade, em uma tentativa de encontrar uma relação inversa entre a taxa de juros e a inflação no curto prazo. Não teve sucesso. A única hipótese capaz de explicar a tradicional relação inversa entre os juros e a inflação no curto prazo é a chamada Teoria Fiscal do Nível de Preços (TFNP).

Segundo o modelo neokeynesiano contemporâneo, com expectativas racionais, a inflação é indeterminada, ficando ao sabor das expectativas. A TFNP sustenta que, em última instância, o que ancora as expectativas e determina a taxa de inflação é a política fiscal.[5] É, portanto, a política fiscal, o equilíbrio sustentável de longo prazo da dívida pública, que em última instância determina a taxa de inflação.

Cochrane demonstra que, ao combinar a TFNP com o modelo neokeynesiano de expectativas racionais, é possível dar uma explicação simples e logicamente robusta para o fato de que o efeito dos juros sobre a inflação se inverta no longo prazo. Ou seja, que um aumento dos juros reduza a inflação no curto prazo, ainda que a aumente no longo prazo.

A lógica do modelo parece irretorquível, mas o mecanismo através do qual os juros mais altos reduzem a inflação no curto prazo — pelo menor valor presente da dívida pública — constitui uma consequência lógica pouco intuitiva. O próprio Cochrane afirma que se trata de "um mecanismo dramaticamente novo" em relação a tudo o que se acredita em termos de teoria e políticas econômicas.

A teoria monetária dominante nunca conseguiu compreender e dar soluções para as altas taxas de inflação crônica. Sua prescrição — controlar a expansão da moeda e contrair a liquidez — só provocou crises bancárias e recessões. Como sustentou Keynes com a "armadilha da liquidez", agora confirmada de forma incontestável pela experiência da QE, também não tem resposta para a deflação. A teoria macroeconômica contemporânea está em polvorosa. A inflação é indeterminada, resultado exclusivo das expectativas. A teoria monetária, que até hoje balizou as políticas dos Bancos Centrais, pode estar equivocada. A macroeconomia contemporânea, das versões mais recentes dos modelos neokeynesianos, sustenta que os juros altos balizam as expectativas de inflação mais alta, o que resulta efetivamente em mais inflação no longo prazo. Segundo a TFNP, as expectativas são, em última instância, determinadas pela credibilidade do equilíbrio fiscal de longo prazo, pois a inflação compatibiliza, no longo prazo, a dívida pública e seu nível sustentável. A mirabolante reviravolta da teoria macroeconômica sugere que a separação entre as políticas monetária e fiscal é mais artificial do que se acreditava.[6]

Voltemos então ao Brasil e a suas altíssimas taxas de juros. Vencida a inflação crônica com o mecanismo engenhoso da URV, a taxa de juros foi mantida alta. O objetivo inicial era sustentar a estabilidade do câmbio flutuante e impedir novos surtos de inflação, mas, como o equilíbrio fiscal sempre foi precário, os juros continuam, até hoje, extraordinariamente altos, por causa da grande necessidade de financiamento do setor público. A experiência da QE deixou claro que o financiamento monetário — através da expansão de reservas remuneradas no Banco Central — não é inflacionário. Logo, maior necessidade de financiamento público não exige necessariamente juros altos. O único modelo analítico compatível com a evidência empírica da QE leva à conclusão de que o juro nominal alto sinaliza uma inflação alta, pauta as expectativas e mantém a inflação alta. Ou seja, os juros altos não só agravam o desequilíbrio fiscal, como também no longo prazo sustentam a inflação alta.

A possibilidade de que os juros altos agravem de tal forma o desequilíbrio fiscal que se tornem contraproducentes foi primeiro ventilada para o caso brasileiro, em 2004, por Olivier Blanchard. A chamada "hipótese da dominância fiscal" foi de início tratada como mera conjectura teórica, logicamente possível, mas praticamente irrelevante.[7] Ela reapareceu com o agravamento da situação fiscal durante os últimos anos dos governos do PT.⁸ Foi ainda tema de artigo de Eduardo Loyo, citado por Chris Sims no encontro dos presidentes de Bancos Centrais em Jackson Hole de agosto de 2016.⁹ Com o recente desenvolvimento analítico da macroeconomia, percebe-se que a dominância fiscal deveria ter merecido mais atenção e suas consequências deveriam ter sido levadas mais a sério para a formulação das políticas monetária e fiscal.

A hipótese neofisheriana, que vê nos juros altos a causa da alta inflação no longo prazo, apesar de ainda mais difícil de digerir, tem sólidas credenciais analíticas, assim como a tese da dominância fiscal. Ambas sugerem que não se pode pedir da política monetária e dos Bancos Centrais mais do que moderar a inflação no curto prazo. Exigir que a política monetária faça, mais do que circunstancialmente, o trabalho de controle da inflação, cuja estabilidade depende, em última instância, do equilíbrio fiscal de longo prazo, pode ser contraproducente. Sem equilíbrio fiscal não há saída. Quando o país passa por um delicado momento político e pela sua mais séria recessão em décadas, vale a pena acompanhar, sem ideias preconcebidas, a discussão na fronteira da teoria macroeconômica. O custo do conservadorismo intelectual nas questões monetárias, durante as quatro décadas de inflação crônica do século XX, já foi alto demais.

5
Teoria, prática e bom senso[1]

EM JANEIRO DE 2017, ao escrever sobre a alta taxa de juros no Brasil, em artigo para o jornal *Valor Econômico*, eu tinha consciência de que a iniciativa era complexa e potencialmente polêmica. Complexa porque me propunha a expor, para um público não especializado, questões que estão sendo discutidas na fronteira da macroeconomia. Polêmica porque o Banco Central está sob permanente pressão política para reduzir os juros, isolado na defesa da estabilidade monetária, em um país onde a demanda por gastos públicos é inesgotável e a irresponsabilidade fiscal é regra. Quando a inflação finalmente dá sinais de ceder e o Banco Central dá início ao corte da taxa básica, pode parecer inoportuno levantar a hipótese de que a política monetária das últimas décadas foi equivocada. Refleti, consultei amigos experimentados na vida pública e concluí que era importante abrir o debate. O interesse provocado pelo texto, assim como a intensidade da controvérsia entre meus colegas economistas, superaram as expectativas. Sinto-me compelido a voltar ao tema.

Primeiro, mais algumas observações sobre a propriedade ou a impropriedade de levantar a questão. A menos que pautados pelo sensacionalismo, o fato de suscitar o interesse e a controvérsia não é necessariamente critério para julgar a propriedade de uma publicação, mas dada a seriedade e a relevância do tema fica claro que a discussão é oportuna. A maioria dos analistas parece ver com bons olhos a possibilidade de que os avanços da teoria monetária possam vir a iluminar a questão dos altíssimos juros no Brasil. Entre os que questionaram a oportunidade do texto, uma vertente sustenta que, como a discussão acadêmica é ainda inconclusiva, seria melhor aguardar antes de abrir o debate. Uma segunda vertente teme que a crítica à teoria monetária dominante, ainda que analiticamente séria e empiricamente fundamentada, possa dar margem para que a profusão de teóricos idiossincráticos que assola o país ganhe espaço na formulação de políticas públicas. Não são preocupações de todo injustificadas, mas sem transparência e confiança na razão não há progresso.

A teoria monetária, como sustenta John Hicks, está ainda mais associada a questões institucionais do que a própria teoria econômica. Ao longo dos últimos séculos, seu questionamento e sua revisão teórica sempre estiveram associados a grandes crises financeiras. Primeiro, com a inconversibilidade da moeda, decretada na Inglaterra em 1797, devido à crise provocada pelas guerras napoleônicas. O debate entre os críticos e os defensores da inconversibilidade, bulionistas e antibulionistas, foi retomado quatro décadas mais tarde, com a volta da conversibilidade, entre as escolas chamadas Bancária e Monetária. Na primeira metade do século xx, a discussão da questão das reparações de guerra e da Depressão dos anos 1930, a partir da contribuição de Keynes, levou a um novo consenso sacramentado em Bretton Woods. Com a crise financeira do início do século XXI não foi diferente. Está em curso um intenso processo de revisão da ortodoxia monetária, que deverá refletir também o avanço tecnológico e a perda de importância do papel-moeda no sistema de pagamentos. A importância do tema para o interesse público exige que a discussão não seja feita a portas fechadas, que não fique restrita à academia. Assim como aconteceu na Inglaterra nos séculos XVIII e XIX, deve ser discutido também através dos meios de comunicação vigentes. Isso é parte do processo de educação democrática. Passemos então à questão de fundo teórico que parece ter dado margem a alguma confusão.

Ameaçados de deflação desde a crise financeira de 2008, os países avançados se viram diante da possibilidade de que a taxa de juros viesse a bater no seu limite nominal inferior e lá ficasse por um longo período. Michael Woodford, no encontro de banqueiros centrais de Jackson Hole de 2012, sugeriu que para escapar da armadilha da deflação o Banco Central deveria utilizar o que se convencionou chamar de *"forward guidance"*, algo como "direcionamento futuro", anunciando que a taxa de juros ficaria num nível muito baixo por um período longo de tempo. Ocorre que, quando o Banco Central anuncia que manterá a taxa de juros fixada em determinado nível por um tempo suficientemente longo, a taxa de inflação de equilíbrio é dada pela equação de Irving Fisher, ou seja, é igual à taxa nominal fixada pelo Banco Central menos a taxa de retorno real da economia. Se a taxa nominal fixada pelo Banco Central for baixa, a inflação será baixa; se for alta, a inflação será alta. Inverte-se assim a clássica relação entre juros e inflação. Esse é o resultado lógico do atual modelo macroeconômico de referência, cujo principal formulador é o próprio Michael

Woodford, com a hipótese de antevisão perfeita, a versão não estocástica, ou sem incerteza, das expectativas racionais.

O resultado é surpreendente e paradoxal, pois a taxa de juros tem efetivamente uma relação inversa com a demanda agregada. Juros mais altos reduzem a demanda e devem moderar a inflação. Aceitando-se o modelo de referência e a hipótese de expectativas racionais, não há como escapar da conclusão: a inflação de equilíbrio acompanha o nível da taxa nominal de juros fixado pelo Banco Central. Quanto mais alta a taxa de juros, mais alta a inflação. A contribuição de John Cochrane em seu último trabalho é compatibilizar esse resultado lógico com a possibilidade de que no curto prazo a taxa de juros esteja inversamente relacionada com a inflação. Depois de examinar inúmeras "distorções" alternativas, Cochrane conclui que só a combinação da chamada Teoria Fiscal do Nível de Preços de Christopher Sims com o modelo macroeconômico de referência permite uma explicação lógica para a evidência de que o aumento do juro reduza a inflação no curto prazo, mas, quando fixado por um período prolongado, faça a inflação convergir para o nível da taxa de juros. O resultado ressalta a interdependência das políticas monetária e fiscal, uma questão política crucial que por muito tempo foi desconsiderada pela teoria.

A explicação de Cochrane é intelectualmente estimulante e parece promissora, mas, como ele mesmo reconhece, tem alguns pontos questionáveis. Tanto a inflação de equilíbrio, determinada pela taxa nominal de juros através da equação de Irving Fisher, quanto a relação inversa entre juro e inflação no curto prazo, resultado do menor valor redescontado da dívida pública, são consequências lógicas do modelo, mas sem conteúdo intuitivo. Dependem essencialmente das expectativas racionais, ou seja, de que os agentes econômicos formem suas expectativas com base no próprio modelo.

As expectativas racionais têm apelo lógico e permitiram inegáveis avanços na modelagem macroeconômica. Apesar de certo irrealismo da hipótese, é difícil sustentar que as expectativas sejam sistematicamente irracionais. O mais razoável é supor que, através de um processo de aprendizado iterativo, as expectativas tendam para as expectativas racionais. É o que fazem Woodford e Garcia-Schmidt num estudo de 2015, onde se perguntam se as baixas taxas de juros são de fato deflacionárias. Eles assumem que as expectativas são formadas através de um processo de aprendizado iterativo ao qual dão o nome de "reflexivo". Como quase todo trabalho de Woodford, o artigo é formal e pesado, impenetrável para os não iniciados, mas com resultados interessantes.

Apesar de confirmar que, com as expectativas racionais no modelo de referência, a taxa de inflação acompanha a taxa de juros fixada pelo Banco Central, os autores sustentam que esse resultado não tem relevância prática. Só os equilíbrios que resultam de um processo de expectativas formadas a partir de um processo de aprendizado, como o reflexivo proposto por eles, no qual as pessoas comparam suas expectativas com os resultados delas, num processo iterativo, têm relevância prática. Nesse caso, demonstram, não há razão para crer que o equilíbrio final corresponda ao das expectativas racionais. Contudo, se as taxas de juros forem interpretadas como portadoras de informações que o Banco Central possui, mas que o resto desconhece, o resultado é efetivamente fazer com que a inflação acompanhe a taxa de juros fixada pelo Banco Central. A taxa nominal fixada pelo Banco Central funcionaria, nesse caso, como balizadora das expectativas.

O esforço para modelar as expectativas de forma menos irrealista é um louvável avanço analítico. O tema é realmente interessante e complexo, mas, para não perder o leitor que se esforçou para acompanhar o argumento até aqui, volto ao caso brasileiro.

No Brasil, a inflação é muito pouco sensível à taxa de juros. As razões da ineficácia da política monetária são muitas e controvertidas, mas a baixa sensibilidade da inflação à taxa de juros é uma unanimidade. Por outro lado, com a dívida pública em torno de 70% do PIB, uma taxa nominal de juros de 14% ao ano exige um superávit fiscal de quase 10% do PIB para que a dívida nominal fique estável. Com a economia estagnada e a inflação perto dos 6% ao ano, isso significa que é preciso um superávit fiscal primário de quase 5% da renda nacional para estabilizar a relação entre a dívida e o PIB. A carga tributária está perto dos 40% do PIB, alta até mesmo para países avançados, ameaçando estrangular a economia e inviabilizar a retomada do crescimento. A dificuldade política para reduzir despesas é enorme. Fica assim claro que o custo fiscal da política monetária não é irrelevante.

O Banco Central do Brasil tem quadros competentes: suas diretorias foram sempre ocupadas pelos melhores profissionais, mesmo durante os governos mais irresponsáveis economicamente, e tem cumprido seu papel de defensor da estabilidade monetária. Tenho plena consciência da importância da autonomia do Banco Central. Por isso mesmo, sempre evitei me manifestar diretamente sobre questões monetárias conjunturais. Abro uma exceção. Suponha o caso de um paciente com doença crônica para a qual se ministra um remédio há décadas. Há unanimidade médica de que, nesse caso, a doença é resistente. Doses maciças vêm sendo receitadas sem resultado. Os efeitos secundários negativos são graves, debilitam e impedem a recuperação do paciente, que agora se encontra na UTI. Novos estudos, ainda que preliminares, questionam a eficácia do remédio. Pergunta: deve-se continuar a ministrar as doses maciças do remédio ou reduzi-las rapidamente? Parece-me questão de bom senso.

Nunca é demais repetir que o equilíbrio fiscal de longo prazo é fundamental. Da política monetária só se pode pedir que evite maiores flutuações do nível de atividade e balize as expectativas de inflação. Sem credibilidade fiscal, a política monetária é impotente. Neste momento, no início de 2017, o governo Temer tem demonstrado intenção de reverter o dramático quadro das contas públicas e, surpreendentemente, tem conseguido vitórias expressivas na aprovação de medidas nesse sentido. Os resultados começam a aparecer, a inflação já dá sinais de convergir para o centro da meta. Com o avanço das reformas de consolidação fiscal — para as quais a reforma da Previdência é fundamental —, o novo ritmo de redução da taxa de juros, anunciado pelo Banco Central, pode dar início a um círculo virtuoso de credibilidade fiscal e de crescimento, sem o qual a tarefa do Banco Central é inglória.

6
Dominância fiscal e neofisherianismo

Introdução

NO ARTIGO PUBLICADO NO *Valor Econômico* em janeiro de 2017, questionei as razões para que a taxa de juros no Brasil continue tão extraordinariamente alta enquanto são praticamente nulas no mundo desenvolvido, e por aqui já vamos para mais de dois anos de profunda recessão (considerando 2015, 2016 e início de 2017), queda acumulada da renda nacional de 9%, desemprego acima de 13% da força de trabalho e colapso do investimento público e privado. Meu objetivo não era retomar a discussão sobre a baixa eficácia da política monetária no Brasil, questão que há anos vem sendo discutida entre os economistas e que, apesar das discordâncias sobre suas causas, é unanimemente reconhecida. Levantei, alternativamente, a possibilidade de que o arcabouço teórico da macroeconomia contemporânea pudesse ter se tornado anacrônico e precisasse passar por uma revisão profunda.

Essa é justamente a tese defendida, numa série de artigos altamente instigantes, por John Cochrane, professor na Universidade de Stanford. Ele é o provavelmente o mais audacioso defensor da necessidade da revisão do paradigma macroeconômico, mas não está só: um grupo importante de macroeconomistas, composto por Chris Sims, professor de Princeton vencedor do prêmio Nobel em 2011, e Michael Woodford, professor de Columbia, a quem se deve formulação do atual modelo de referência da macroeconomia contemporânea, participam intensamente do debate, entre outros. A controvérsia ainda está relativamente restrita à academia, mas dada sua alta relevância para questões prementes, como a eventual reversão do gigantismo dos balanços dos Bancos Centrais após a crise financeira de 2008, já é tema de discussão entre os banqueiros centrais dos países desenvolvidos.

Assim como o tema é relevante para os países desenvolvidos ameaçados pela armadilha da deflação, é também oportuno, por razões simétricas, para o Brasil, atolado numa recessão acompanhada de uma crise fiscal de grandes proporções, desemprego e juros altíssimos. Por isso me pareceu importante abrir a discussão e chamar a atenção para o debate que acontece na fronteira acadêmica. O tema é inevitavelmente técnico e complexo, mas, na essência, compreensível para qualquer pessoa familiarizada com as noções básicas de economia. Neste artigo, dado que a controvérsia pegou fogo entre meus colegas economistas, procuro fazer um resumo um pouco mais técnico dos pontos envolvidos. Espero que seja legível também para os não iniciados, e sugiro àqueles que se assustam com as fórmulas matemáticas que as deixem de lado e passem diretamente à conclusão.

Indeterminação e interdependência

O resultado da experiência heterodoxa dos Bancos Centrais dos países avançados, depois da crise financeira de 2008, levantou sérias dúvidas sobre alguns pontos fundamentais da teoria macroeconômica.

Primeiro, a Teoria Quantitativa da Moeda foi arquivada de vez. A base monetária — reservas bancárias no Banco Central — foi multiplicada por sessenta nos Estados Unidos, por exemplo, e nada aconteceu. A inflação permaneceu onde estava.

Segundo, a relação inversa entre capacidade ociosa e desemprego e a taxa de inflação, expressa pela curva de Phillips, também está sendo seriamente questionada. Nos Estados Unidos, por exemplo, a taxa de desemprego, assim como o hiato do produto, chegou a 10%, ficando alta por mais de oito anos enquanto a inflação continuou estável.

E, por último, ficou sob suspeita o consenso macroeconômico contemporâneo, à la Michael Woodford, segundo o qual, sem metas e uma regra para a taxa de juros que reaja de forma inversa e mais do que proporcional aos movimentos observados, a inflação seria instável. Quando a taxa de juros se aproximou do seu limite inferior, próximo de zero, os Bancos Centrais não tiveram mais como prosseguir com a chamada regra de Taylor e foram obrigados a deixar a taxa de juros estacionada, mas nada aconteceu. A inflação não continuou a cair numa espiral deflacionária como previsto pela teoria.

Como sustenta John Cochrane,[1] este é para a teoria macro um momento equivalente ao que representou o trabalho de Michelson-Morley para a física clássica. Ao tentar medir a velocidade da Terra através do éter, eles descobriram que a velocidade da luz era a mesma em todas as direções, resultado que levou à formulação da Teoria da Relatividade.

Algumas questões em aberto, relativas ao consenso da macroeconomia contemporânea, já vinham incomodando os teóricos desde que havia ficado claro que a variável da política monetária, sob controle dos Bancos Centrais, não é a base monetária, e sim a taxa de juros das reservas bancárias.

A primeira delas, apontada originalmente por Sargent e Wallace em 1975,[2] é que quando a variável exógena, sob controle do Banco Central, é a taxa de juros, e não mais a moeda, o nível de preços fica indeterminado. O ponto decorre diretamente da observação de que uma infinidade de pares de estoques nominais de moeda, M, e de níveis de preços, P, satisfaz a um estoque monetário real, M/P, de equilíbrio. Sem a exogeneidade da moeda, o nível de preços é indeterminado e a taxa de inflação não tem âncora, é função de sua história, das pressões da demanda agregada e das expectativas. Não há nada que impeça surtos ou até mesmo explosões, inflacionárias ou deflacionárias, provocados meramente pelas expectativas.

A segunda questão é que, quando o Banco Central deixa de controlar a moeda e passa a determinar diretamente a taxa de juros, a vinculação entre as políticas monetárias e fiscais fica evidente, pois a taxa de juros é um importante determinante do custo da dívida pública. O ponto também foi originalmente apontado por Sargent e Wallace em artigo de 1981, o que não surpreende.[3]

A teoria fiscal do nível de preços

A chamada Teoria Fiscal do Nível de Preços, TFNP, desenvolvida nas duas últimas décadas, sobretudo por Leeper, Sims, Woodford e Cochrane,[4] introduz de forma explícita a restrição orçamentária intertemporal do governo, ausente das análises macrotradicionais.

A TFNP, formulada originalmente em termos dos chamados modelos dinâmicos estocásticos de equilíbrio geral, ou DSGE, com múltiplas equações compatíveis com agentes microeconômicos maximizadores, é formalmente pesada, mas é possível resumir sua essência com uma única equação, a restrição orçamentária intertemporal do governo.

(1) $\quad \dfrac{M_t + B_t}{P_t} = E_t\,[VPR\,(\sum_{t+1}^{\infty} S_{t+1})]$

Nela, o termo à esquerda é o passivo nominal do governo, composto pelos estoques de moeda, M_t, e de dívida, B_t, deflacionado pelo nível de preços, P_t, que deve ser igual ao valor esperado presente redescontado, VPR, dos superávits primários, S_t.

A equação (1) deve ser vista como uma condição de equilíbrio para o valor real do passivo do governo. Como o preço de qualquer ativo, é determinado a partir do fluxo redescontado de valores futuros esperados para honrá-lo. Para a TFNP, pode ser lida também como a equação que determina o nível de preços:

(1') $\quad P_t = \dfrac{M_t + B_t}{E_t\,[(VPR\,\sum_{t+1}^{\infty} \cdot S_{t+1})]}$

Ou seja, o passivo financeiro do governo, $M_t + B_t$, e o valor esperado dos superávits primários são o que determina, ou ancora, o nível geral de preços.

A equação (1') revela as principais teses da TFNP:

1. A âncora do nível de preços — e da inflação — é fiscal. A política monetária só interfere indiretamente, pois a taxa de juros fixada pelo Banco Central influencia o passivo financeiro do governo.
2. O nível de preços não é função apenas do estoque de moe-

da, e sim de todo o passivo financeiro do governo, composto por moeda e títulos da dívida, assim como da trajetória esperada da política fiscal e dos déficits do governo.
3. Não se pode separar a política monetária da política fiscal, porque a política monetária tem consequências fiscais. A autonomia do Banco Central não pode ser total, pois, sem coordenação com a política fiscal, a atuação do Banco Central pode ser contraproducente. A eficácia da política monetária depende da reação da política fiscal, que devem, portanto, ser coordenadas.
4. O aumento da taxa de juros só é contracionista se for acompanhado de uma contração fiscal, para compensar o efeito expansionista do aumento do valor esperado dos déficits fiscais primários, $E[VPR \sum S]$ provocado pelo maior custo do serviço da dívida. O argumento vale igualmente, de forma simétrica, para o caso da redução da taxa de juros.

Enquanto a TQM vê o nível de preços como o valor de troca, ou o preço relativo, entre moeda e bens — ou moeda e produto real —, a TFNP ressalta que o nível de preços é também o preço real relativo entre títulos públicos e bens.[5] Ou seja, o nível de preços é o valor de troca entre o passivo nominal do governo e o produto real.

Para efeito de analogia com a TQM, pode-se extrair da TFNP uma equação quantitativista na qual o agregado relevante não é apenas a moeda, mas moeda e títulos públicos:

(2) $(M+B) \cdot V = P \cdot E[(VPR \sum S]$

Ao contrário da TQM, que postula que a demanda agregada é função apenas da quantidade de moeda, a TFNP reconhece que todo passivo financeiro do governo é um ativo do setor privado, portanto todo aumento desse ativo, seja através de um aumento do estoque de moeda seja através de um aumento do estoque de títulos da dívida, *ceteris paribus*, leva a um aumento da demanda agregada do setor privado.

A equação (2) é, contudo, de uma simplificação questionável, porque tanto V como $E[(VPR \sum S]$ não são dados, mas resultado de um processo de maximização intertemporal das agentes. A TFNP não substitui simplesmente a tese de que a quantidade de moeda determina o nível de preços pela tese de que a quantidade de dívida pública ou a sucessão de déficits primários determina o nível de preços. De acordo com ela, a política de juros, a política fiscal e a dívida pública, de maneira conjunta e interdependente, determinam o nível de preços. A alta da taxa de juros aumenta o custo da dívida e os déficits futuros, o que é expansionista se não for acompanhado pela redução dos déficits primários do governo, independentemente de serem monetizados ou financiados pela emissão de títulos.

Dominância fiscal: inflacionária e deflacionária

A TFNP não se confunde com a tese de dominância fiscal (DF), pois, como diz Sims,[6] em "condições normais" o impacto fiscal da política monetária não é grande e, portanto, é pouco controverso. "Condições normais", segundo Sims, são aquelas em que as taxas de juros estão em níveis razoáveis, nem muito próximas do limite inferior zero nem muito altas; a relação dívida/PIB é baixa e o balanço do Banco Central não tem grandes descasamentos.

A situação de dominância fiscal pode ser entendida, no arcabouço conceitual da TFNP, como um caso extremo, quando o efeito secundário — o fiscal — da política monetária domina seu efeito primário e assim inverte seu sinal. Tal situação pode ocorrer tanto quando se procura controlar uma inflação crônica — caso que poderíamos chamar de dominância fiscal inflacionária (DFI) — como quando se procura reverter uma deflação crônica — dominância fiscal deflacionária (DFD).

A possibilidade da dominância fiscal foi primeiro levantada, no final da década de 1990, para o caso da DFI, como explicação para a ineficácia — e potencial inversão do sinal — da política monetária no caso de inflação crônica, com juros e relação dívida/PIB muito altos.[7] A questão da dominância fiscal pode ser relativamente nova, mas o questionamento da política monetária como instrumento de controle da inflação há tempos aparece na literatura macroeconômica dirigida às economias menos desenvolvidas onde há inflação crônica, sobretudo da América Latina.[8]

Após a crise financeira de 2008, com a experiência da flexibilização quantitativa (QE), que elevou o balanço dos Bancos Centrais a níveis até então inimagináveis, a questão da ineficácia da política monetária tomou corpo também na literatura macroeconômica central *"mainstream"*. A discussão passou então a ser em torno da possível inversão do sinal do efeito da política monetária, agora no caso de uma dominância fiscal deflacionária.

A simetria entre a dominância fiscal inflacionária e a dominância fiscal deflacionária é o que leva ao comentário de Sims no trabalho apresentado em Jackson Hole em 2016:

> No Brasil, na década de 1980, o Banco Central talvez afirmasse que não poderia desempenhar seu papel enquanto a política fiscal não reagisse. Hoje, em países com taxas de juros quase nulas e economias fracas, os Bancos Centrais precisam explicar que a

política fiscal, bem como a política monetária, devem visar ao cumprimento das metas de inflação.

A hipótese neofisheriana

Talvez o ponto mais polêmico do debate macroeconômico atual seja a chamada hipótese neofisheriana (HNF). A HNF toma a equação de Irving Fisher, que decompõe a taxa nominal de juros em uma taxa real de juros e na inflação esperada, $i = r + \pi^*$, e a transforma numa equação de determinação de equilíbrio da inflação esperada, ou seja, $\pi^* = i - r$, em que a inflação esperada é dada pela taxa nominal menos a taxa real de juros. Como a taxa real de juros é relativamente constante, em função de fatores tecnológicos e institucionais, a inflação esperada acompanha a taxa nominal.

Embora possa parecer surpreendente, esse é o resultado dos modelos macroeconômicos de última geração, neokeynesianos à la Woodford, de equilíbrio geral estocástico dinâmico (DSGE), em que a variável da política monetária é a taxa de juros, com antevisão perfeita ou expectativas racionais.

Os modelos de uma geração anterior, tanto os monetaristas como os keynesianos com a moeda como variável exógena, supunham que, se a taxa de juros fosse fixada indefinidamente, a inflação seria instável, isso é, ia acelerar ou desacelerar de forma irreversível. Milton Friedman, em sua palestra na American Economic Association em 1968, fez um candente arrazoado de por que a aceleração da inflação sairia de controle se a taxa de juros ficasse fixa.

De fato, segundo os modelos macro anteriores aos DSGE — tanto os monetaristas como os keynesianos —, a inflação é inerentemente instável e precisa ser estabilizada pela atuação do

Banco Central. Essa é a lição que permeia toda a concepção de política macroeconômica desde a *Teoria geral* de Keynes. Embora em contraste com a prática — pois a variável da política monetária é a taxa de juros, e não a moeda —, toda "intuição" macroeconômica moderna está baseada na bem-sucedida mas hoje anacrônica síntese analítica de Hicks para a *Teoria geral* de Keynes: o modelo IS-LM, conhecido de todo estudante dos cursos introdutórios de macroeconomia.

A arraigada noção da instabilidade intrínseca da inflação foi transportada à força para o modelo woodfordiano DSGE. Descartavam-se, por hipótese, as trajetórias explosivas autossustentadas e assumia-se que seria necessário usar uma função de reação — a regra de Taylor — para que a taxa de juros estabilizasse a inflação.

Ocorre que no modelo woodfordiano com expectativas racionais a inflação é intrinsecamente estável. Fixada uma taxa de juros nominal, as expectativas e a inflação de equilíbrio de longo prazo convergirão para o equilíbrio neofisheriano:

$$(4) \quad \pi^* = \pi = i - r$$

Embora esse seja o resultado lógico, um corolário do atual modelo de referência teórica, é um resultado ao qual nunca se deu importância, por isso desconhecido. Primeiro, porque o modelo foi sempre utilizado pressupondo que, no momento inicial, o equilíbrio da inflação seja deliberadamente perturbado, pois a partir daí o modelo reproduz os resultados dos modelos monetaristas e keynesianos clássicos. A regra de Taylor é então utilizada para estabilizá-la. Segundo, porque o fato de que com a taxa de juros fixa a inflação fosse estável e convergisse para a equação neofisheriana parecia uma excrescência teórica irrelevante. Na prática, supunha-se ser justamente a reação — inversa e mais do que proporcional — dos juros às flutuações da inflação que garantia sua estabilidade.

Só quando a política monetária foi paralisada perto do limite inferior dos juros nulos, obrigando os Bancos Centrais a deixar a taxa de juros fixa por um período prolongado de tempo, verificou-se que a aparente excrescência teórica correspondia ao comportamento observado da inflação. Em vez de continuar numa espiral deflacionária, a inflação se estabilizou pouco acima da taxa de juros.

Como observa Cochrane, em condições normais, não é possível distinguir, a partir da observação empírica, uma inflação intrinsecamente instável estabilizada pelo Banco Central de uma intrinsecamente estável que o Banco Central sacode de um lado para outro, acreditando estar impedindo que ela se desestabilize. Só quando a taxa de juros atingiu seu limite inferior, com a política monetária imobilizada, foi possível observar que a estabilidade da inflação não era decorrente da atuação do Banco Central, mas de fato intrínseca.

Portanto, a experiência empírica recente parece confirmar o que a teoria sugere: se a taxa de juros ficar fixa por um período mais longo de tempo, a inflação, que é intrinsecamente estável, deverá convergir para a equação neofisheriana. Inverte-se assim, ao menos no longo prazo, a tradicional relação negativa entre a taxa de juros e a inflação.

No curto prazo, a relação inversa entre a taxa de juros e a inflação, embora abalada pela evidência do enfraquecimento do trade-off entre a capacidade ociosa, o desemprego e a inflação, ainda pode ter sustentação teórica. Ao introduzir a restrição orçamentária intertemporal do governo, como o faz Cochrane em seu último artigo,[9] que combina a TFNP com a inflação estável dos modelos woodfordianos, apesar da convergência para uma taxa de juros fixa no longo prazo, é possível encontrar uma explicação teórica para a relação inversa entre a inflação e a taxa de juros no curto prazo.

Conclusão

A experiência da taxa de juros estacionada próxima do seu limite inferior mostrou que a inflação é intrinsecamente estável. Os modelos macroeconômicos tradicionais, nos moldes IS-LM, em que a moeda era a variável exógena e que previam sua instabilidade nessas circunstâncias, estavam equivocados.

Da combinação do modelo neokeynesiano com a restrição intertemporal do governo da TFNP, deduz-se que, em condições normais sem dominância fiscal, a inflação é intrinsecamente estável, convergindo no longo prazo para a taxa nominal de juros e no curto prazo podendo manter uma relação inversa com a taxa de juros. A inflação também converge para a taxa nominal de juros no caso de dominância fiscal deflacionária, mas não necessariamente no caso da dominância fiscal inflacionária.

A assimetria se explica porque, no caso de DFD, a alta da taxa de juros significa também uma expansão fiscal, que trabalha no sentido da redução da DFD. No caso da DFI, embora a queda da taxa de juros também trabalhe no sentido de amenizar a dominância fiscal, se não houver confiança na solvência intertemporal do governo, na sua capacidade de honrar suas dívidas, o tiro sairá pela culatra, e a redução da taxa de juros pode levar a uma explosão inflacionária. Essa é a razão que leva Cochrane a afirmar em post do seu blog The Grumpy Economist, de 28 de fevereiro de 2015, que a convergência neofisheriana "só se sustenta quando as pessoas não estão preocupadas com a habilidade do governo de pagar as dívidas".

E conclui: "Desculpem, Rússia, Argentina e Venezuela. Fixar a taxa de juros num nível próximo a zero não vai estabilizar a inflação de vocês".

Os processos inflacionários são mais estáveis e mais insensíveis à demanda agregada, à capacidade ociosa e ao desemprego do que se imaginava. A inflação é, em essência, função das expectativas, que uma vez ancoradas têm grande inércia. Segundo a TFNP, a ancoragem das expectativas está associada à restrição orçamentária intertemporal do governo. Como todo processo que depende da formação de expectativas coletivas, a inflação está sujeita a uma multiplicidade de fatores, tanto objetivos como subjetivos. Muitos deles estão além das fronteiras tradicionais da economia e precisam ser mais bem compreendidos.

Se a inflação é menos sensível à demanda agregada do que pretendia a macro keynesiana clássica do modelo IS-LM com uma curva de Phillips, que até hoje domina a intuição da política econômica, o poder da política monetária é muito menor do que se acreditava. Choques de oferta, gargalos estruturais e alguns preços "sinalizadores", como câmbio e salários, podem ter mais peso do que sustentava a teoria macroeconômica tradicional. Até aí nada de novo: estes sempre foram pontos ressaltados pela escola estruturalista latino-americana, assim como por macroeconomistas de formação tradicional familiarizados com a experiência das economias menos desenvolvidas.

A grande novidade teórica, levantada pela experiência da política monetária heterodoxa dos países desenvolvidos desde 2008, é a possibilidade de que a taxa nominal de juros possa ser também um importante, se não o mais importante, balizador das expectativas e determinante da taxa de inflação. Essa sempre foi a percepção dos empresários e homens práticos.

Se confirmada, ainda que não sirva para justificar a apressada conclusão de que juros altos provocam inflação, seria uma lição exemplar para a falta de humildade com que a teoria econômica tem sido muitas vezes utilizada para justificar opções políticas.

Conclusão: Formalismo e ortodoxia

I

AS IDEIAS TÊM FORÇA. Quando sistematizadas e apresentadas como conhecimento científico, ganham ainda mais força. A macroeconomia, desenvolvida a partir da *Teoria geral do emprego, do juro e da moeda*, de Keynes, foi sistematizada por J. R. Hicks num modelo simples de duas equações, uma representando o equilíbrio entre a poupança e o investimento — o lado real da economia — e a outra, o equilíbrio entre a oferta e a demanda por moeda — o lado monetário da economia. O argumento do livro de Keynes era menos formalizado e mais matizado, mas a sistematização proposta por Hicks deixava claro o ponto central do argumento. Preocupado com a economia estagnada após a Grande Depressão dos anos 1930, quando havia capacidade instalada ociosa e o problema era a insuficiência de demanda, o objetivo primordial de Keynes era compreender como as políticas monetária e fiscal afetavam a demanda agregada por bens e serviços. A formalização de Hicks ficou conhecida como o modelo IS-LM, em homenagem às duas equações — a do equilíbrio entre a poupança S e o investimento I, e a do equilíbrio entre a oferta M e a demanda L por moeda. Através dessas duas equações era possível explicar como a política monetária e a política fiscal afetavam a demanda agregada e em que circunstâncias poderiam ser mais ou menos eficazes.

Keynes estava especialmente interessado em demonstrar que a economia poderia ficar estagnada, abaixo do pleno emprego, por um longo período. A rigidez para baixo dos preços, sobretudo dos salários, impediria o restabelecimento do equilíbrio. Nessas circunstâncias, a política monetária seria incapaz de resolver o problema, porque a economia estaria presa numa "armadilha da liquidez". Armadilha porque, diante da ameaça da deflação, todo aumento da oferta de moeda, que segundo a Teoria Quantitativa da Moeda (TQM) deveria estimular a demanda, seria entesourado sem se transformar em demanda por bens e serviços. A "armadilha da liquidez" de Keynes era uma situação na qual a Teoria Quantitativa da Moeda deixava de ter validade. Rompia-se assim a relação proporcional e estável entre a moeda e a renda, que, segundo a TQM, sempre deveria prevalecer. No caso da "armadilha da liquidez", a velocidade de circulação da moeda se reduziria na mesma proporção do aumento de sua oferta. Todo aumento do estoque de moeda seria acompanhado por um aumento da demanda por moeda, sem que houvesse qualquer elevação da demanda agregada. Essa é a razão pela qual, quando a economia está estagnada e sob ameaça de deflação, a política monetária é incapaz de tirá-la do atoleiro. Só a política fiscal, sobretudo através do aumento dos gastos públicos, é capaz de estimular a demanda agregada e de levar à recuperação da economia. Os principais pontos da *Teoria geral* de Keynes podiam ser ilustrados através do simples e didático modelo proposto por Hicks: o modelo IS-LM tornou-se, então, o arcabouço conceitual básico da macroeconomia.

Como o desemprego e a deflação eram as preocupações de Keynes, o problema da inflação não era originalmente tratado no quadro do modelo IS-LM. Para suprir essa deficiência analítica, quando já nas décadas de 1950 e 1960 a inflação voltou a ser um problema, o modelo foi adaptado de modo a incorporar o caso da economia próxima do pleno emprego. Nesse caso, com a demanda agregada não mais insuficiente, mas excessiva, a questão deixaria de ser a ameaça da deflação e passaria a ser a inflação. O ajuste do modelo para o contexto inflacionário foi feito através do ingresso de uma terceira equação, que representava a relação inversa entre o desemprego e a inflação. A chamada curva de Phillips, em homenagem ao economista inglês, autor das primeiras tentativas de estimá-la, completava assim o modelo keynesiano para situações em que houvesse pressão inflacionária. Como ainda não se falava em expectativas, a curva de Phillips original parecia sugerir que haveria sempre a possibilidade de manter a economia muito próxima, ou mesmo acima, do pleno emprego, caso houvesse disposição para se aceitar uma inflação mais alta.

Durante os anos 1960, ficou claro que o preço a ser pago para manter a economia sempre aquecida não seria apenas a tolerância a níveis mais altos de inflação, como sugeria a versão original da curva de Phillips, mas sim uma inflação *cada vez mais alta*. À medida que a inflação era incorporada às expectativas, só seria possível manter a economia no pleno emprego através da aceleração da inflação. Adotar uma curva de Phillips que incorporasse as expectativas de inflação, ou expandida pelas expectativas, foi o passo seguinte na evolução do modelo macroeconômico básico.

Estava claro que as expectativas dos agentes — das pessoas e das empresas — a respeito da inflação era um elemento importante no processo da formação de preços. Mas como incorporar a questão das expectativas no modelo macroeconômico? Num primeiro momento, a solução foi considerar que os agentes formassem suas expectativas de acordo com a inflação anterior. Ou seja, a inflação esperada seria a inflação observada, ou uma média ponderada com pesos declinantes das taxas de inflação observadas no passado. As chamadas "expectativas adaptativas" pareciam uma solução simples. Eram facilmente modeladas e passíveis de serem estatisticamente estimadas. Tornaram-se então a hipótese-padrão dos modelos macroeconômicos.

O modelo IS-LM, complementado pela curva de Phillips com expectativas adaptativas, representou o auge do prestígio da macroeconomia. Tratava-se de um modelo de formalização matemática relativamente simples, com resultados intuitivamente claros e inequívocos, que pareciam fáceis de ser estimados com as técnicas estatísticas e econométricas conhecidas. Por isso mesmo ele é até hoje a base da intuição macroeconômica da grande maioria das pessoas. Homens de negócios, profissionais do mercado financeiro e até mesmo os *policy-makers*, quando pensam nas questões macroeconômicas, de forma consciente ou não, têm esse modelo como referência. Os postulados do IS-LM são conhecidos por todos aqueles que têm noções básicas sobre o funcionamento da economia. A demanda agregada pode ser estimulada ou contida pelas políticas monetária e fiscal. A inflação é função das expectativas e da pressão da demanda. Se a pressão da demanda é excessiva, a economia fica superaquecida, próxima ou acima do pleno emprego, e a inflação se acelera. Para moderar a inflação é preciso controlar a demanda agregada, através de políticas monetária e fiscal contracionistas. Alguma capacidade ociosa e o desemprego, ainda que temporários, são o custo necessário para moderar as pressões inflacionárias.

As complexidades adicionais de uma economia aberta, como os déficits de comércio exterior e de conta-corrente, o impacto do câmbio flexível e do movimento de capitais de curto prazo são essencialmente questões complementares. O excesso de demanda vaza para as contas externas e provoca déficits que podem, ao menos transitoriamente, ser financiados pela conta capital com a entrada de recursos externos. Idealmente capitais de longo prazo via investimentos diretos, mas também através de capitais financeiros de curto prazo. O controle da demanda reduz as importações, estimula as exportações e melhora as contas externas. A desvalorização cambial é inflacionária e a valorização do câmbio ajuda o controle da inflação.

II

No início dos anos 1970, as coisas começaram a se complicar. Ainda nos anos 1960, John Muth havia proposto uma hipótese alternativa para a formação das expectativas.[1] No caso das safras agrícolas de produtos perecíveis, não estocáveis, uma boa safra reduziria os preços, o que levaria a uma menor oferta e à alta dos preços no ano seguinte, seguidas por um aumento da oferta com queda dos preços no ano posterior. Esse processo oscilatório, conhecido como Teia de Aranha, devido à aparência do gráfico da trajetória dos preços, depende da hipótese a partir da qual os produtores formam suas expectativas de preços, baseados nos preços observados no anterior. Segundo Muth, produtores racionais não se deixariam ser sistematicamente enganados pelas circunstâncias. Perceberiam que preços baixos num ano levariam a menor oferta e melhores preços no ano seguinte, e procurariam antecipar o movimento. Expectativas assim formadas, não mais baseadas exclusivamente nas observações dos preços verificados no passado, mas com um olhar no futuro e antecipação de preços, com base no próprio modelo que descreve o processo de formação dos preços, seriam expectativas "racionais".

Para uma disciplina como a economia contemporânea, desenvolvida a partir dos chamados fundamentos microeconômicos com agentes maximizadores racionais, a hipótese de que as expectativas são "racionais", baseadas nos mesmos princípios de maximização, faz todo o sentido e é extremamente difícil de ser contestada. Uma vez suscitada, a hipótese das expectativas racionais foi incorporada a todas as áreas da economia nas quais era preciso modelar as expectativas. Suas implicações, um tanto radicais, tanto para a área das finanças como para a macroeconomia, de início causaram perplexidade e algum desconforto. Com expectativas racionais, os mercados financeiros seriam "eficientes", no sentido de que toda informação relevante já estaria incorporada nos preços de equilíbrio. Seria impossível, para um gestor de um fundo de ações, por exemplo, ter um desempenho consistentemente acima do retorno do mercado.

Na macroeconomia, a adoção das expectativas racionais levou a resultados ainda mais estranhos do que nas finanças. Com elas, a curva de Phillips passaria a ser vertical na taxa de pleno emprego, e assim não haveria mais possibilidade de aumentar ou reduzir o emprego através da manipulação da demanda agregada. Não seria possível trocar um pouco mais de emprego por um pouco mais de inflação, como nos modelos com a curva de Phillips original sem expectativas. Também não seria possível trocar mais emprego nem mesmo pela aceleração da inflação, como nos modelos com expectativas adaptativas. Toda tentativa de aumentar o emprego e a renda através do aumento da demanda agregada se converteria imediatamente em mais inflação, sem qualquer alteração do emprego e da renda real. O emprego e a renda estariam sempre em seus níveis de equilíbrio. Nunca haveria desemprego nem capacidade ociosa. Toda pressão de demanda agregada acima dos níveis de equilíbrio seria integralmente transformada em aumento da inflação, e toda insuficiência de demanda seria convertida em redução da inflação, sem que o nível natural de equilíbrio da renda e do emprego fosse alterado. Não é preciso entender muito de economia nem fazer estudos estatísticos sofisticados para saber que tais resultados estão em flagrante contradição com a realidade. Períodos de alto desemprego e alta capacidade ociosa existem e são observáveis a olho nu. No mundo real, a atividade econômica é cíclica. Existem períodos de hiperatividade seguidos de períodos recessivos.

III

Depois da lua de mel entre teoria e prática, que durou quase quatro décadas, a partir do advento das expectativas racionais a macroeconomia defrontou-se com um sério dilema: ou revia seus fundamentos ou negava a realidade. Por absurdo que pareça, a opção por negar a realidade foi mais longe do que se poderia imaginar. A tese de que não haveria realmente desemprego, de que todo desemprego seria voluntário — sem nenhuma ironia —, foi sustentada durante algum tempo por expoentes acadêmicos em defesa dos modelos teóricos. Os ciclos macroeconômicos foram atribuídos a fatores reais aleatórios, independentes de toda ação da política macroeconômica. No início dos anos 1980, o modelo conhecido como o do Real Business Cycle passou a ser a referência dos modelos macroeconômicos. Segundo o RBC, a economia, sempre em seu equilíbrio de emprego e renda, passa por pequenas flutuações, consequência de choques reais aleatórios, totalmente independentes das políticas macroeconômicas. A moeda e a política monetária seriam irrelevantes por completo, incapazes de afetar as variáveis reais, como o emprego e a renda, mesmo no curto prazo.[2] Resguardar a defesa dos chamados fundamentos microeconômicos, ou seja, a lógica dos agentes maximizadores com expectativas racionais, parecia mais importante do que o realismo dos modelos.[3]

Apesar do surpreendente domínio dos modelos baseados no RBC, a flagrante contradição entre os modelos e a realidade, especialmente quanto à completa irrelevância da moeda e da política monetária, levou a uma série de esforços para explicar e justificar tais contradições. De novo, em vez de rever as premissas — os fundamentos microeconômicos baseados em agentes racionais maximizadores —, a solução foi procurar justificar a contradição entre o resultado do modelo e a realidade com base em algum tipo de "distorção" existente na realidade. Distorções são quaisquer tipos de restrição ao livre e imediato ajuste dos preços conforme o previsto pela teoria. Salários e preços nominais rígidos, ajustados periodicamente e de forma intercalada — *staggered* —, são os exemplos de "distorções" introduzidas nos modelos para compatibilizá-los com a realidade observada. Os modelos conhecidos como Dynamic Stochastic General Equilibrium (DSGE) complementados com a hipótese de que os preços sejam *sitcky*, viscosos, devido ao fato de que só são reajustados periodicamente e de forma intercalada, voltaram a encontrar resultados segundo os quais a política monetária poderia afetar o emprego e a renda, ainda que apenas no curto

CONCLUSÃO: FORMALISMO E ORTODOXIA

prazo. Apesar de algum progresso em direção ao realismo e à relevância prática, nos modelos DSGE não há moeda, nem crédito, nem sistema financeiro, apenas a taxa de juros. Só a partir da crise financeira de 2008, nas economias avançadas, houve um esforço de introduzir o crédito e o sistema financeiro nos modelos DSGE, que até hoje dominam a macroeconomia.

A partir da segunda metade dos anos 1970, a macroeconomia se tornou cada vez mais formalizada. Os modelos DSGE partem dos chamados "fundamentos microeconômicos". Nesses modelos é preciso começar formalizando o processo de maximização intertemporal dos agentes individuais com expectativas racionais. Em seguida introduzir "distorções" para torná-los minimamente compatíveis com a realidade e finalmente chegar às relações macroagregadas. Consequentemente, a matemática necessária é bem mais elaborada do que a exigida pelos primeiros modelos macroeconômicos, como o IS-LM com expectativas adaptativas. Modelos matematicamente mais elaborados deveriam ter resultados mais precisos, mais próximos da realidade, ou ao menos mais facilmente estimados, para ser confrontados com os dados e então utilizados para a formulação de políticas. Mas os modelos DSGE puros levam a resultados tão flagrantemente irrealistas que precisam ser adaptados com todo tipo de "distorção" para torná-los menos incompatíveis com a realidade. Além do mais, é praticamente impossível estimá-los de forma econométrica.

A dificuldade para inferir causalidade entre duas ou mais variáveis de um sistema de equações simultâneas deve-se ao que os econometristas chamam de "o problema da identificação". Pode-se observar correlação entre variáveis, mas para ser capaz de inferir causalidade é preciso ter certeza de qual delas é uma variável exógena, isto é, não afetada, direta ou indiretamente, pelas demais variáveis do sistema. O problema está longe de ser trivial. A oferta de moeda, por exemplo, sempre foi considerada exógena, sob controle dos Bancos Centrais, para os quantitativistas, e endógena, resultado do próprio funcionamento da economia, para a grande maioria dos seus críticos. A bem da verdade, o problema sempre existiu, mas, até os anos 1970, não estava ainda claro quão sério era para os modelos macroeconômicos. O problema da identificação se agrava de forma literalmente exponencial com o número de variáveis e parâmetros a ser estimados. Ao introduzir as expectativas racionais, que afetam o comportamento dos agentes e são por sua vez formadas com base no próprio modelo, duplica-se a magnitude das variáveis e a escala do problema.[4]

A dificuldade da estimativa econométrica de modelos macroeconômicos, nos quais existem múltiplas equações simultâneas com inúmeros parâmetros a ser estimados, é tão séria que seria mais correto falar em "calibrar" do que em "estimar" os parâmetros dos complexos modelos DSGE contemporâneos. Calibrar, porque grande parte dos parâmetros do modelo é efetivamente determinada *a priori*, de forma arbitrária, para que o modelo seja identificável e para que alguns outros parâmetros selecionados possam ser estimados. Como chama a atenção Paul Romer, grande parte da calibragem dos modelos não é feita de forma explícita, mas, ao contrário, um grande número de hipóteses arbitrárias fica submerso numa montanha de equações e deduções matemáticas, impossibilitando sua avaliação crítica.[5] Para quem tem um mínimo de noção de econometria, fica evidente que os complexos modelos macroeconômicos contemporâneos não são passíveis de ser verdadeiramente estimados. Para que o modelo se torne identificável, é necessário introduzir tantas hipóteses arbitrárias, que aquilo que se está de fato estimando, ou seja, confrontado com os dados, não é um modelo conceitual a ser confirmado ou rejeitado pela evidência empírica, e sim um modelo ajustado sob medida, para ser confirmado pelos dados disponíveis.

IV

A macroeconomia contemporânea encontra-se assim numa situação inusitada. Trabalha com modelos matematicamente complexos, que partem dos chamados fundamentos microeconômicos, nos quais agentes individuais maximizam uma função de bem-estar intertemporal, para chegar às relações agregadas. O resultado é expresso através de um sistema de equações simultâneas com inúmeras variáveis, entre elas as expectativas racionalmente formadas com base no próprio modelo. Dado que partem dos fundamentos do modelo de equilíbrio geral microeconômico de Walras-Arrow-Debreu, que pressupõe o ajuste instantâneo e livre dos preços, como não poderia deixar de ser, chegam a resultados nos quais não há desequilíbrio. Não há nem desemprego, nem capacidade ociosa. Para torná-los minimamente realistas, é preciso introduzir restrições arbitrárias, as chamadas "distorções" em relação ao paradigma do modelo de equilíbrio geral. Assim formulados, para ser confrontados com os dados, é preciso introduzir mais uma série de hipóteses ad hoc para que os modelos sejam estatisticamente identificáveis. O resultado é muito mais uma construção arbitrária, calibrada para os dados disponíveis, do que um modelo conceitual a ser confrontado e confirmado pela evidência empírica. Compreende-se que a macroeconomia esteja em crise e atraia cada vez menos interessados a se dedicar a seu estudo e desenvolvimento. A fase dourada, de grande prestígio da disciplina, ficou para trás. Depois da contribuição de Keynes, desde os anos 1950 até os 1970, apesar das discordâncias, havia a impressão de que o arcabouço conceitual básico da macroeconomia estava bem estabelecido. Havia o consenso de que esse arcabouço ajudava o entendimento de questões-chave, como o desemprego, a inflação e a deflação, e de que era de grande valia para a formulação de políticas que moderassem os cíclicos macroeconômicos. Não mais. A macroeconomia contemporânea está mais para um ramo da matemática aplicada, infelizmente sem relevância prática.[6] As razões para que se tenha chegado a esse estado de coisas merecem ser mais bem estudadas. A lista feita pelo físico Lee Smolin (2007) sobre as razões da alienação ocorrida com os formuladores da Teoria das Cordas, na física das partículas, que se propõe a explicar as questões mais fundamentais da física, candidata a ser a teoria definitiva de tudo (que, no entanto, perdeu o rumo), foi retomada por Paul Romer para o caso da macroeconomia contemporânea. Merece ser reproduzida:

- excesso de autoconfiança;
- uma comunidade excepcionalmente monolítica;
- um sentido de identidade com o grupo semelhante ao da identidade entre membros de uma seita religiosa ou uma plataforma política;
- um forte sentido de laços entre o grupo e demais experts;
- o desprezo e o desinteresse pelas ideias, as opiniões e o trabalho de quem não é parte do grupo;
- a tendência a interpretar a evidência de forma otimista, a acreditar exageradamente em resultados incompletos e a desconsiderar a possibilidade de que a teoria possa estar equivocada.

O paralelo ocorrido com a macroeconomia contemporânea e a Teoria das Cordas evidencia os riscos que correm as disciplinas nas quais um pequeno grupo de pesquisadores, talentosos na modelagem matemática, fica insulado num mundo à parte, autorreferenciado e deslocado da realidade. Compreende-se, então, que Romer se refira à teoria macroeconômica contemporânea como pós-real.

A macroeconomia chegou a um estágio crítico com a adoção das expectativas racionais e a opção pela formalização matemática, mas mesmo em seu período áureo, nunca esteve livre de equívocos conceituais e dos problemas de identificação. O caso da Teoria Quantitativa da Moeda é exemplar.[7] Como argumentei anteriormente, a TQM nunca teve sustentação empírica, a velocidade de circulação da moeda sempre foi volátil e a oferta de moeda nunca foi uma variável exógena, sob controle dos Bancos Centrais. Apesar disso, sua dominância conceitual foi praticamente absoluta até ao menos meados dos anos 1990. Ainda hoje, depois da evidência acachapante de que mesmo com a base monetária multiplicada por um fator de sessenta vezes, como ocorreu nos Estados Unidos com o QE, a inflação continuou baixa e estável, ainda há quem encontre explicação para salvar a TQM. Argumenta-se que o dinheiro não circulou, pois ficou empossado nos bancos. Há sempre uma explicação para tudo se todas as peças do tabuleiro conceitual são móveis e arbitrariamente definidas a posteriori.

V

Apesar da inequívoca contribuição para a compreensão e para a moderação dos ciclos econômicos dada por Keynes, a macroeconomia está e sempre esteve sujeita a sérios e persistentes equívocos. A confirmação ou a rejeição de seus postulados, dado o problema da identificação econométrica, na grande maioria das vezes não pode ser feita de forma isenta. O mesmo poderia ser dito a respeito de qualquer outra teoria social, mas nenhuma delas tem a pretensão à cientificidade que tem a economia. É justamente a aparência de rigor científico, o fato de que se presta à formalização matemática, que dá à macroeconomia um status superior ao das demais ciências sociais. O poder conferido pela formalização matemática não pode ser subestimado. O sucesso da humanidade se deve à capacidade de divisão do trabalho cognitivo. Como indivíduos, estamos bem menos equipados para separar fatos e ficção, mitos e realidade do que gostamos de admitir. Como consequência dessa distribuição atomizada do conhecimento, somos levados a crer que sabemos individualmente mais do que de fato sabemos. O avanço do conhecimento e as extraordinárias conquistas da tecnologia são patrimônio coletivo. Individualmente continuamos ignorantes na essência. Sobre física, medicina, computação, biologia ou qualquer campo do conhecimento, só temos notícia dos resultados, das conclusões mais importantes. Confiamos nos especialistas para nos certificarmos de que não estamos enganados, de que aquilo em que acreditamos é real, e não uma ficção. A dependência em relação aos especialistas é inevitável, mas nos campos mais técnicos, naqueles em que a matemática é indispensável, essa dependência é agravada. Sem domínio da matemática — algo que dificilmente se pode adquirir depois de adulto —, ainda que se estivesse disposto a estudar os fundamentos de uma matéria específica, seria impossível chegar a uma conclusão por conta própria. Essa é a razão pela qual a formalização matemática confere mais poder ao especialista.

Nada como uma página repleta de símbolos, equações e teoremas para provocar a admiração e o sentimento de estar diante de uma autoridade. Não se deve subestimar a importância dos sinais exteriores para conferir autoridade e credibilidade, ainda que imerecidas, mas o verdadeiro problema da formalização matemática é o fato de tornar a matéria impermeável à crítica externa. Inacessível aos não iniciados, toda crítica externa fica irreparavelmente comprometida. Ao criticar o que não se entende, abre-se um flanco para ser desqualificado *in limine litis* e acusado de motivos espúrios. Também os iniciados, especialistas na matéria, que pretendam criticar ou retificar a ortodoxia são obrigados a convencer seus pares antes de ampliar o escopo de sua audiência. Não é possível atingir uma audiência de não especialistas quando a linguagem utilizada é a eles inacessível. Só depois de ungido de autoridade pela bênção de seus pares é possível divulgar os resultados de suas críticas e eventuais propostas de reformulação teórica. O processo não é de todo desprovido de sentido. Para evitar que a cacofonia acabe por provocar confusão e perplexidade, são importantes a disciplina acadêmica, certo pudor em relação à divulgação de resultados preliminares e a necessidade de convencer seus pares antes de se dirigir ao grande público. O verdadeiro problema está na tentativa de transpor os critérios das ciências exatas para a macroeconomia. A razão de ser da macroeconomia é auxiliar a formulação de políticas públicas, com o objetivo de maximizar a renda e o emprego, moderar as flutuações cíclicas da economia e ainda garantir a relativa estabilidade da moeda, evitando tanto as altas taxas de inflação quanto a deflação. A macroeconomia é a arte de organizar o arcabouço conceitual para a formulação e a condução das políticas monetária e fiscal. Mais do que uma ciência social, é sobretudo uma ciência política. Nada mais antidemocrático do que pretender que a discussão de políticas públicas, da mais alta relevância para todos, seja feita a portas fechadas entre especialistas e numa linguagem inacessível. Pois foi esse o caminho tomado, de forma consciente ou não, nas últimas quatro décadas.

A complexidade das questões relativas às políticas públicas no mundo contemporâneo e a necessidade de uma classe de técnicos especializados para formulá-las e implementá-las foi originalmente levantada por Walter Lippmann nos anos 1920. Sua proposta era a de uma democracia de especialistas, com o grande público mantido informado, da melhor maneira possível, pelos meios de comunicação.

Essa ideia — a de uma democracia indireta, intermediada pela tecnocracia — foi alvo da crítica de John Dewey. Apesar de considerar o trabalho de Lippmann "a mais eficaz crítica jamais escrita à democracia como hoje é concebida", Dewey sustenta que não há verdadeira democracia sem que a opinião pública seja formada pela interação direta entre os membros da sociedade.[8] Portanto, pretender que o debate macroeconômico, que pauta as políticas fiscal e monetária, esteja, em nome da complexidade técnica do tema, restrito à academia e aos especialistas é uma atitude muito mais profundamente antidemocrática do que a proposta de Lippmann.

VI

Desde que surgiu no cenário da vida pública brasileira no fim do Estado Novo, a tecnocracia teve sua importância mantida em ritmo crescente, sendo acompanhada pela contínua desvalorização da política e dos políticos profissionais. Enquanto a política se tornava incapaz de atrair os bem formados e bem-intencionados — "*los mejores*", na expressão de Ortega y Gasset —, os canais tecnocráticos de acesso ao poder ficavam cada vez mais rápidos e atraentes. Sobretudo desde o regime militar, jovens macroeconomistas bem formados, ainda que sem qualquer experiência de vida pública, tiveram oportunidades excepcionais para participar do governo brasileiro em posições destacadas. Bolívar Lamounier se pergunta por que os economistas não substituíram os advogados nos quadros da política representativa, por que os economistas não se interessaram em ocupar o espaço deixado pelos advogados como principal profissão de acesso à vida pública.[9] A resposta é que, para os economistas, o acesso ao poder pela via tecnocrática tem sido incomparavelmente mais rápido e mais eficaz.[10] A qualificação técnica de economista dá hoje acesso a praticamente todas as áreas do governo, mas é nos Bancos Centrais que ela é monopolística, onde não sofre concorrência dos políticos profissionais, nem de nenhum outro profissional sem formação técnica macroeconômica. É também nos Bancos Centrais que o poder dos economistas está menos sujeito a questionamento e deve menos satisfação às diversas instâncias da democracia representativa. A diretoria do Banco Central tem grande autonomia, não apenas em relação ao Legislativo, como também em relação ao Executivo e ao próprio Ministério da Fazenda, ao qual está subordinada. A legitimidade para continuar a dispor do poder de que dispõem os macroeconomistas do Banco Central, assim como a própria reivindicação de autonomia dos Bancos Centrais, depende essencialmente da ideia de que a política monetária tem sólidos fundamentos conceituais, inacessíveis aos que não têm formação especializada.

Não há dúvida de que a interferência política espúria pode ter sérias consequências para a condução da política monetária. A autonomia operacional dos Bancos Centrais e sua separação em relação ao Tesouro Nacional na divisão de trabalho para a gestão da dívida pública faziam sentido enquanto os balanços dos Bancos Centrais eram relativamente pequenos em relação ao orçamento fiscal e à dívida pública. Hoje, praticamente em toda parte, isso já não é mais verdade. Nos últimos anos, sobretudo depois da crise financeira de 2008 nos países desenvolvidos, com o advento do Quantitative Easing e com a política monetária passando a ser conduzida primordialmente através da taxa de juros nas reservas bancárias, a linha demarcatória entre as políticas monetária e fiscal ficou bem menos nítida. Quando os Bancos Centrais passam a operar através de reservas remuneradas, assumindo valores expressivos em relação à dívida pública convencionalmente definida, e têm liberdade para comprar ativos financeiros privados, a política monetária se torna um dos componentes da política fiscal.[11] Fica comprometida a defesa da autonomia dos Bancos Centrais, assim como a tese de que a política monetária é assunto técnico, no qual não cabem escolhas políticas. A última trincheira da defesa da autonomia dos Bancos Centrais passa a ser então a complexidade técnica e os sólidos fundamentos conceituais que devem pautar a política monetária. Talvez seja essa a razão pela qual, mais do que nunca, haja necessidade de blindar a teoria monetária de seus críticos, de transformar suas premissas e corolários em dogmas, de certificar-se de que as críticas aos seus fundamentos não extrapolem as fronteiras da academia. A defesa da ortodoxia monetária tem longa tradição, tanto acadêmica quanto política. Mesmo quando diante de recorrentes fracassos práticos, como no caso do combate à inflação crônica, insistiu-se sempre em preservar a teoria e culpar a falta de vontade política de seguir a cartilha. Quando a revisão se tornou imperativa, como foi no fim dos anos 1990, com a substituição da moeda pela taxa de juros como a variável exógena dos Bancos Centrais, a saída foi pretender que não houvesse uma revolução conceitual, e sim apenas uma evolução sem perda de continuidade da teoria.

CONCLUSÃO: FORMALISMO E ORTODOXIA

No Brasil, desde os anos 1950, com Gudin e seus discípulos, a tentativa de estabilizar a inflação crônica através da contração do crédito e da liquidez, conforme recomendava a ortodoxia baseada na Teoria Quantitativa da Moeda, provocou crises bancárias, desemprego e recessão, sem conseguir derrotar a inflação. Foi também muito provavelmente fator importante para a derrota política do liberalismo ilustrado. No longo prazo, portanto, seu custo pode ter sido ainda mais alto. Tudo o que o liberalismo ilustrado de Gudin acertadamente propunha ficou comprometido pelos resultados traumáticos de sua equivocada ortodoxia monetária. A vitória nos corações, nas mentes e na historiografia brasileira foi de Roberto Simonsen. Mudaram-se os tempos, a teoria foi revista a contragosto, mas o apego à ortodoxia monetária continua tão forte quanto antes. Hoje a ortodoxia já não dita regra para o controle dos agregados monetários, mas para a taxa de juros. Assim como no passado a desastrada tentativa de aplicar regras rígidas de controle da moeda e do crédito diante de um processo inflacionário crônico, nas últimas duas décadas a insistência em aplicar uma nova ortodoxia, agora baseada numa regra para a taxa de juros, pode ter causado danos mais graves do que se aparenta. A moeda é uma convenção social. As questões monetárias são, portanto, indissociáveis dos costumes, das instituições e da tecnologia, que estão sempre em evolução. Nada mais inadequado para ser congelado numa ortodoxia defendida com unhas e dentes de todo questionamento intelectual. Quando essa ortodoxia é integralmente importada, sem análise crítica alguma a respeito de sua propriedade e eficácia nas condições locais, os riscos e os custos podem ser ainda mais altos.

AGRADECIMENTOS

Agradeço aos meus editores, em especial a Otávio Marques da Costa, pela competente interlocução, e a Érico Melo, pelo excelente trabalho de pesquisa. A Jorge Paulo Lemann agradeço o estímulo e a confiança de sempre.

NOTAS

1. LINHAS MESTRAS: GUDIN E SIMONSEN [pp.19-48]

1. As citações deste capítulo, referentes à polêmica, estão reunidas em publicação do Ipea, Rio de Janeiro, primeira edição de 1976, sob o título de *A controvérsia do planejamento na economia brasileira* (*ACPEB*). [Ed. atual.: 3. ed. Brasília: Ipea, 2010].
2. Para uma análise das discussões em torno da criação da Faculdade Nacional de Ciências Econômicas da Universidade do Brasil e as diversas vertentes de pensamento envolvidas, veja Maria Rita Loureiro, "A emergência dos economistas como elites dirigentes no Brasil: 1930-64", em *Os economistas no governo: Gestão econômica e democracia* (Rio de Janeiro: Editora FGV, 1997).
3. Há consenso na literatura a respeito da influência exercida sobre Simonsen pelo romeno Mihaïl Manoilesco, à época o autor referencial da doutrina corporativista da organização do Estado e da sociedade. Para o corporativismo de Manoilesco, o indivíduo não tem direitos, e sim deveres, e está hierarquicamente subordinado à coletividade. Em oposição ao liberalismo, no qual o indivíduo é o ator político e social, o corporativismo considera que a personalidade coletiva, constituída por um conjunto orgânico de corporações, tem papel central na sociedade e na política.

Veja A. de Aquino "I Congresso Brasileiro de Economia 1943: Atores, intelectuais e ideologias na constituição de uma consciência de classe entre os industriais e a consolidação do projeto industrialista" (*Plural*, revista do programa de pós-graduação em sociologia da USP, São Paulo, v. 17, n. 1, 2010).

4. D. Acemoglu e J. Robinson, *Why Nations Fail: The Original of Power, Prosperity and Poverty*. Nova York: Random House, 2013.
5. L. G. Belluzzo, "Prefácio". In: L. C. Faro e M. Sunelli, *Roberto Simonsen: Prelúdio à indústria*. Curitiba: Insight, 2016.
6. Luis G. Belluzzo, por exemplo, afirma que Simonsen "recebeu reprovação agressiva das classes conservadoras e de seus ideólogos". Cita um anônimo comentarista da imprensa paulistana, segundo quem o Brasil não teria condição para o desenvolvimento industrial e que por "ser um país de analfabetos ainda em anarquia política, econômica e financeira" deveria "aproveitar suas terras, as mais vastas, inexploradas do globo". Ainda segundo Belluzzo, "não foram outros os argumentos de Eugênio Gudin, na célebre Controvérsia do Planejamento Econômico de 1944". E prossegue: "Também não é de hoje que os senhores da mídia, aqueles que formam a opinião pública, lançam seus exércitos na batalha contra a industrialização, a luz elétrica e o saneamento básico, em prol da febre amarela, da hemoptise e do bicho-do-pé". Quem discorda de Simonsen não é apenas contra a industrialização e o progresso, como também a favor da doença e da miséria. Belluzzo concluí afirmando que, "na essência, os argumentos do conservadorismo caboclo — outrora ancorados na propriedade da terra, hoje na finança — continuam os mesmos: uma embolada de preconceitos, combatidos por Roberto Simonsen nas décadas de 20, 30 e 40".
7. Roberto Campos, em suas memórias, *A lanterna na popa* (Rio de Janeiro: Topbooks, 1994), afirma que a controvérsia foi sistematicamente apresentada pela mídia de forma injusta para Gudin e simpática para Simonsen:

    > Este era visualizado como defensor da industrialização, então identificada com o desenvolvimento e a independência, enquanto Gudin era apresentado como defensor de uma postura colonial de defesa da produção primária. Em suma, uma postura anti-industrializante. Aquele era um progressista. Este, um reacionário. Era uma grotesca deformação da verdade.

8. Veja, por exemplo, A. de Aquino, em "I Congresso Brasileiro de Economia 1943: Atores, intelectuais e ideologias na constituição de uma consciência

de classe entre os industriais e a consolidação do projeto industrialista", op. cit.
9. Segundo Roberto Campos, "Gudin não alimentava ilusões sobre as dificuldades de sua prática. Dir-se-ia mesmo que alimentava saudável pessimismo", em *A lanterna na popa*, op. cit.
10. Como afirma Carlos Von Doellinger em sua introdução à *ACPEB*: "A julgar pela argumentação de Simonsen, seus conhecimentos de economia eram extremamente precários, o que deu a Gudin, em todas as fases do debate, uma grande superioridade técnica" (p. 30).
11. A propósito das personalidades dos polemistas, vale a pena reproduzir os retratos de Simonsen e Gudin feitos por Joel da Silveira, jornalista cuja pena ferina levou Francisco de Assis Chateaubriand, dono do diário carioca *O Jornal*, do qual Gudin foi diretor e onde publicou seus primeiros artigos, a chamá-lo de "a víbora".

Sobre Simonsen, na reportagem "Grã-finos em São Paulo" para a revista *Diretrizes*, de 25 de novembro de 1943:

> Figura ímpar na elegância dourada de Piratininga é o doutor Roberto Simonsen, proprietário de algumas das mais robustas cifras nacionais. Nas horas vagas, o sr. Simonsen escreve livros, artigos e discursos sobre a promissora situação financeira do Brasil, da qual ele é um dos sustentáculos. O sr. Simonsen é também conhecido e admirado por seu amor ao vernáculo. Seus discursos e seus livros são primores de correção gramatical. É verdade que o milionário Simonsen, tão cheio de afazeres lucrativos, não tem tempo para perder com as vírgulas e os pronomes. Simonsen possui um gramático especial e particular, o sr. Marques da Cruz, que recebe mensalmente um ordenado convidativo para pôr em alto estilo as considerações de seu patrão e espartilhar nas leis de Cândido de Figueiredo possíveis liberalidades linguísticas do financista.

Sobre Gudin, publicado em *A camisa do senador* (Rio de Janeiro: Mauad, 2000):

> Talvez sejam bem poucos os que ainda se lembram do dr. Eugênio Gudin, uma dessas sumidades que durante algum tempo mandam e desmandam neste país. Dr. Gudin tinha dentes enormes e uma arrogância ainda maior, dono de todas as verdades (ou da Verdade). Dele diziam ser senhor de uma cultura monumental, o que lhe permitia respostas e soluções para tudo. Durante toda a vida cultivou uma certeza capital: a de que o Brasil é um país inferior, de má qualidade e habitado por um povo idem. Seu hobby preferido era o de anunciar desgraças que fatalmente iriam acontecer a longo ou a curto prazo. A mim

sempre deu muito medo quando via, nas fotos dos jornais ou na televisão, aquele monstruoso sorriso com que ele, mostrando a impressionante dentuça, saudava por antecipação as desgraças que ia anunciar. Fui entrevistá-lo certa vez, a propósito de uma dessas nossas crises econômicas. Para facilitar a conversa, comecei dizendo: Ministro (na ocasião ele era ministro), está acontecendo tudo o que o senhor previu. Um desastre atrás do outro. Ele, até então carrancudo e olímpico, abriu-se todo naquele sorriso perverso e bilioso, mostrou os dentões encardidos de nicotina, passou a esfregar as mãos, numa felicidade que lindava o êxtase. E me disse: Tudo! E o pior ainda vem por aí! Nunca como naquele instante, tive diante de mim alguém tão sinistramente triunfante.

12. R. Campos, op. cit., p. 246.
13. "Ia para o ministério combater a inflação. Não havia outra razão para eu ser ministro", em depoimento ao CPDOC da Fundação Getulio Vargas.
14. Para uma análise econômica do período, veja D. M. Pinho Neto, "O interregno Café Filho", em Marcelo de Paiva Abreu (Org.), *A ordem do progresso: Cem anos de política econômica republicana —1889-1989* (Rio de Janeiro: Campus, 2011).
15. Promiscuidade que não foi interrompida, nem mesmo com a criação do Banco Central em 1965, pois, através da chamada Conta Movimento e do Orçamento Monetário, durou até a criação da Secretaria do Tesouro, em 1985. Veja A. Lara Resende, "Um longo caminho a percorrer", em *Os limites do possível* (São Paulo: Portfolio-Penguin, 2013).
16. A Sumoc estava sob a direção de seu criador, Octávio G. Bulhões, e o Banco do Brasil era o principal responsável pela expansão da moeda e do crédito. Segundo C. M. Pelaez e W. Suzigan, em *História monetária do Brasil: Análise da política, comportamento e instituições monetárias* (Rio de Janeiro: Ipea; Inpes, 1976, p. 300):

    > Quase toda a expansão originava-se da política do Banco do Brasil. Enquanto a expansão do crédito dos bancos privados em 1954 foi de somente 18,3%, isto é, menor do que o aumento de 19,8% de 1953, a expansão de crédito do Banco do Brasil foi de 46,4%, superior à de 1953, e financiada por emissões de papel-moeda, através do mecanismo de redesconto.

17. Veja D. M. Pinho Neto, *A política econômica no interregno Café Filho* (Rio de Janeiro, PUC, 1986, dissertação de mestrado em economia)
18. "Vim para realizar a abolição do confisco. Não sendo possível fazê-lo, considero minha missão finda", disse Whitaker a *O Estado de S. Paulo* em 7 de outubro de 1955. Veja D. M. Pinho Neto, op. cit.

NOTAS

19. Segundo R. Campos, op. cit., p. 247: "Com a morte de Getúlio desfizera-se, pensava eu, a aliança nacional populista, abrindo-se espaço para um maior grau de racionalidade de política econômica".
20. Pinho Neto, op. cit., chega a afirmar que "Whitaker, na verdade, parecia preocupar-se mais com a renda em cruzeiros da lavoura do que com a receita em divisas do país".
21. Em Pinho Neto, op. cit.:
    > Com origem na política restritiva de Gudin, iria deflagrar-se, em maio de 1955, nova crise bancária, sensivelmente mais séria, devido ao pedido de liquidação extrajudicial do Banco do Distrito Federal. O pânico gerado no depositante detonaria uma corrida inusitada no mercado de crédito, paralisando por alguns dias o movimento do comércio e da indústria. A proporção da crise bancária deixou transparente a falta de liquidez do setor financeiro e a ameaça que isso representava para os setores produtivos.
22. A revista *Conjuntura Econômica*, de janeiro de 1956, afirmava que, "não obstante essa acentuada diminuição do ritmo de expansão do crédito bancário, prosseguiu a pressão inflacionária a deteriorar o poder aquisitivo do cruzeiro no mercado interno. O custo de vida do Distrito Federal, que em 1954 elevara-se a 21%, chegou a 23% em 1955".
23. R. Campos, op. cit., p. 248.
24. O. G. Bulhões, em depoimento ao Programa de História Oral do CPDOC da FGV, em 1990, a propósito da saída de Gudin:
    > Havendo restrições e os produtores querendo mais crédito, eles [os paulistas] julgaram preferível, em vez de estar discutindo — porque não valia nada discutir com o professor Gudin, ele tinha opinião formada —, pleitear a presidência do Banco do Brasil. Ficando com a presidência do Banco do Brasil, eles poderiam ter o crédito que quisessem. Forçaram, portanto, o Café Filho a admitir um presidente do Banco do Brasil que viesse de São Paulo, indicado por eles. Café Filho acabou cedendo e por esse motivo o Gudin saiu. Gudin saiu por causa da saída do Mariani: não foi o Mariani que acompanhou o Gudin; ao contrário, o Gudin que acompanhou o Mariani.

    Na mesma linha, afirma Roberto Campos (op. cit., p. 248):
    > Desejoso de obter o apoio do governador de São Paulo, Jânio Quadros, para a candidatura presidencial de Juarez Távora, dispôs-se Café Filho a aceitar as injunções de Jânio para a designação de um paulista para o Banco do Brasil, supostamente mais complacente em relação aos produtores de café. Isso implicaria o sacrifício de Clemente Mariani, no Banco do Brasil, quebrando-se a coesão anti-inflacionária da equipe.

25. Veja E. Gudin, *Princípios de economia monetária* (São Paulo: Agir, 1965).
26. Na oitava edição, de 1972, capítulo XII, "A Teoria Quantitativa, em conclusão", p. 159, Gudin afirma:
    > Essa aparente divergência entre os dois ângulos de abordagem da Teoria Quantitativa tem dado lugar a muitos debates. Assinalamos [...] que nós mesmos tínhamos até agora tomado posição definida em favor da segunda solução, isto é, do *income approach*. Não que considerássemos uma orientação certa e a outra errada, mas que o *income approach* é mais lógico e mais próximo da realidade.

2. A TEORIA MONETÁRIA: REFLEXÕES SOBRE UM PERCURSO INCONCLUSIVO [pp. 49-83]

1. Este texto foi traduzido de A. Lara Resende, "The Theory of Monetary Policy: Reflections on a Winding and Inconclusive Road" (Rio de Janeiro: Ipea, 2016), por Afonso Celso da Cunha Serra, com minha revisão. Agradeço os comentários e as sugestões de Edmar Bacha, Guillermo Calvo, Armínio Fraga, Affonso Celso Pastore, José A. Scheinkman e Carlos Viana.
2. R. Dornbusch e S. Fischer, *Macroeconomics*. Nova York: McGraw-Hill, 1978.
3. É verdade que Dornbusch e Fischer, op. cit., acrescentaram ressalvas como esta:
    > O Gráfico 13.3 deixa claro que não há, no curto prazo, ligação estreita entre a taxa de expansão monetária e a taxa de inflação. A ausência de uma ligação estreita entre a taxa de expansão monetária e a taxa de inflação no curto prazo sugere que outros fatores são responsáveis pela inflação no curto prazo.
4. O. Blanchard, *Macroeconomics*. Nova Jersey: Prentice Hall, 2000.
5. Veja G. Calvo, "The Price Theory of Money, Prospero's Liquidity Trap and Sudden Stops" (*NBER Working Paper*, Cambridge, n. 18 285, ago. 2012).
6. Mais exatamente até 2003, quando Michael Woodford publicou seu livro.
7. A mecânica do controle das reservas bancárias e o uso alternativo de uma única taxa de juros paga sobre as reservas pelo Banco Central é analisada em detalhes em Woodford, "Monetary Policy in a World Without Money" (*NBER Working Paper*, Cambridge, n. 7853, ago. 2000).
8. R. Clarida, J. Galí e M. Gertler, em "The Science of Monetary Policy: A New Keynesian Perspective" (*Journal of Economic Literature*, v. XXXVII, pp. 1661-1707, dez. 1999), por exemplo, afirmam: "Com a taxa de juros

como instrumento de política monetária, o Banco Central ajusta a oferta de moeda para alcançar a taxa de juros".
9. Os itálicos foram acrescentados para salientar a inexistência de um equilíbrio único.
10. J. H. Cochrane, "Determinacy and Identification with Taylor Rules". *Journal of Political Economy*, v. 119, n. 3, jun. 2011.
11. G. Corsetti, em "The Mystery of the Printing Press" (European Economic Association, Schumpeter Lecture, 2015), ao analisar a possibilidade de múltiplos equilíbrios da inflação em Calvo, "Capital Flows and Capital-Markets Crisis: The Simple Economics of Sudden Stops" (*Journal of Applied Economics*, n. 1, 1998), afirma que, na década de 1980, a economia monetária estava tão fora de moda que era difícil publicar alguma coisa sobre esse tema na *American Economic Review*, razão pela qual Calvo teve de descrever seu modelo primeiro em termos reais, antes de poder contar sua história sobre a inflação.
12. Veja, por exemplo, Clarida, Galí e Gertler, op. cit.
13. Veja Woodford, "Price-level Determinacy Without Control of a Monetary Aggregate" (*Carnegie-Rochester Conference Series on Public Policy*, n. 43, v. 1, pp. 1-46, dez. 1995); M. S. Kimball, "The Quantitave Analytics of the Basic Neomonetarist Model" (*Journal of Money, Credit and Banking*, n. 27, 1995); T. Yun, "Nominal Price Rigidity, Money Supply Endogeneity and Business Cycles" (*Journal of Monetary Economics*, n. 37, 1996); B. S. Bernanke, M. Gertler e S. Gilchrist, "The Financial Accelerator in a Quantitative Business Cycle" (*NBER Working Paper*, Cambridge, n. 6455, 1998).
14. Woodford, em *Interest & Prices* (Princeton: Princeton University Press, 2003, cap. 2, p. 125), afirma: "Está claro que existe um contínuo de equilíbrios com antevisão perfeita, cada um correspondendo a cada inflação inicial possível π_0. Esse resultado persiste mesmo que [...] o princípio de Taylor seja satisfeito, pelo menos em âmbito local".
15. Ibid., cap. 2, pp. 135-6. A observação entre colchetes foi acrescentada para auxiliar a compreensão.
16. Veja C. Azariadis, em "Implicit Contracts and Underemployment Equilibria" (*Journal of Political Economy*, n. 83, 1975).
17. G. Calvo, em "The Mayekawa Lecture: Puzzling over the Anatomy of Crises" (*Monetary and Economic Studies*, v. 31, pp. 39-64, nov. 2013), cita C. Kindleberger, *Manias, Panics and Crashes* (Hokoben: Wiley, 1978):
> O debate entre monetaristas e keynesianos ignora a instabilidade do crédito e a fragilidade do sistema bancário, assim como os impactos negativos sobre

a produção e os preços, quando o sistema creditício fica paralisado, porque o declínio nos preços de muitas mercadorias e produtos leva muitos devedores à inadimplência.

18. Os salários indexados à inflação passada foram objeto de ampla discussão no caso brasileiro, depois da contribuição original de Simonsen, *Inflação: Gradualismo versus tratamento de choque* (Rio de Janeiro: Apec, 1970). No entanto, a inflexibilidade nominal dos contratos financeiros e a inércia introduzida pelos contratos financeiros indexados à inflação passada também foram ignorados até muito mais tarde na discussão sobre o processo inflacionário.

19. I. Fischer, "The Debt-Deflation Theory of Great Depressions". *Econometrica*, v. 1, n. 4, out. 1933.

20. Nesse caso, a simples redistribuição da riqueza dos credores para os devedores, supondo que não haja grandes diferenças na propensão para gastar, não tem impacto macroeconômico. De acordo com B. Bernanke, em "The Macroeconomics of Great Depression: A Comparative Approach" (*Journal of Money Credit and Banking*, v. 27, n. 1, fev. 1995), isso explica a tradicional desconsideração, nos círculos acadêmicos, da teoria da deflação da dívida de Irving Fisher.

21. P. Arida, E. Bacha e A. Lara Resende, "Crédito, juros e incerteza jurisdicional: conjeturas sobre o caso do Brasil". In: E. Bacha, *Belíndia 2.0: Fábulas e ensaios sobre o país dos contrastes*. Rio de Janeiro: Civilização Brasileira, 2012, pp. 213-49.

22. Esse é o caso de Woodford (op. cit., 2000), assim como de inúmeros outros trabalhos analisando os custos e as vantagens das economias sem moeda.

23. F. H. Hahn, "On Some Problems of Proving the Existence of an Equilibrium in a Monetary Economy". In: F. H. Hahn; F. P. R. Brechling (Orgs.), *The Theory of Interest Rates*. Londres: McMillan, 1965.

24. A moderna economia comportamental demonstra que tudo o que de fato conseguimos compreender são valores relativos. E não só valores, mas qualquer coisa só pode ser avaliada em comparação com outra. Veja D. Ariely, *Predictably Irrational* (Nova York: HarperCollins, 2008).

25. A ideia de uma moeda indexada foi proposta em Lara Resende (op. cit., 1985a-b); e depois desenvolvida em Arida e Lara Resende, "Inflação inercial e reforma monetária", em Arida (Org.), *Inflação zero* (Rio de Janeiro: Paz e Terra, 1986).

26. Em face da existência de contratos com indexação generalizada à inflação

passada, o repentino desaparecimento da inflação redundaria em crise bancária seguida de recessão profunda.
27. Arida e Lara Resende (op. cit., 1986) discutem alternativas para uma âncora nominal.
28. O. Blanchard, E. Cerutti e L. Summers, "Inflation and Activity: Two Explorations on Their Monetary Policy Implications". *IMF Working Paper*, v. 230, 2015.
29. Depois da crise financeira de 2008, numerosos trabalhos tentaram apresentar os mercados financeiros como fonte endógena e amplificadora dos ciclos econômicos.
30. M. Friedman, *The Counterrevolution in Monetary Theory*. Londres: IEA, 1970.

3. A CAMINHO DA ECONOMIA DESMONETIZADA [pp. 85-109]

1. Texto originalmente escrito para palestra na Universidade Columbia, em 15 de dezembro de 2016, depois apresentado em 2017 no seminário em homenagem aos 75 anos de Edmar Bacha, sediado na Casa das Garças, no Rio de Janeiro, a quem agradeço pelos comentários e pelas sugestões desde as primeiras versões.
2. J. R. Hicks, "Monetary Theory and History: An Attempt at Perspective". *Critical Essays in Monetary Theory*. Oxford: Oxford University Press, 1967, p. 156. Num livro detalhado e erudito, *Monetary Theory and Policy from Hume and Smith to Wicksell*, Arion Arnon também cita John Hicks, segundo o qual a teoria monetária, ainda mais do que a teoria econômica geral, está relacionada a fatos e instituições econômicas.
3. J. A. Schumpeter, *History of Economic Analysis*. Londres: Allen &Unwin, 1954, p. 717.
4. Nas páginas 197 e 198 de *Thornton's Paper Credit*, Henry Thornton afirma: "Não há como negar que um aumento na emissão de papel possa ser, frequente e justamente, considerado apenas — ou sobretudo — um efeito da alta de preços". Citado em Arnon, *Monetary Theory and Policy from Hume and Smith to Wicksell* (Cambridge: Cambridge University Press, 2011, p. 111).
5. Veja o capítulo 7 de Arnon (op. cit.), sobre os antibulionistas, particularmente Henry Thornton, e o capítulo 2, sobre o debate entre a Banking Scholl e a Currency School, na Inglaterra em meados do século XIX, especialmente quanto a Thomas Tooke.

6. Veja referência à resenha do livro de Tooke por J. S. Mill em Arnon (op. cit., cap. 12, p. 217).
7. Hicks, op. cit., pp. 174-88.
8. Veja Arnon, op. cit., cap. 7, p. 97.
9. N. Kaldor, em "The New Monetarism" (*Lloyds Bank Review*, v. 97, pp. 1-18, jul. 1970), é um crítico devastador da Teoria Quantitativa da Moeda na sua versão friedmaniana da década de 1960.
10. Veja J. Olivera, em "La teoría no monetaria de la inflación" (*El Trimestre Económico*, v. 27, n. 108, out.-dez. 1960); J. F. Noyola, em "El desarollo económico y la inflación en México y otros países latinoamericanos" (*Investigación Económica*, v. XVI, n. 4, pp. 604-25, out.-dez. 1956), e O. Sunkel, em "La inflación chilena: Un enfoque heterodoxo" (*El Trimestre Económico*, v. 25, n. 4, pp. 570-99, out.-dez. 1958).
11. C. Goodhart (2003 e 2009) alega que a origem da moeda não foi, como originalmente sugerido por Menger em "On the Origins of Money" (*Economic Journal*, n. 2, pp. 239-55, 1892), uma iniciativa privada para diminuir o custo das transações, e sim um fenômeno social que antecede o desenvolvimento dos mercados formais. Assim, a moeda favoreceu o surgimento dos mercados, e não o contrário.
12. Veja Arnon, op. cit.
13. Ibid., cap. 4, pp. 51-2.
14. A noção de que o que define a moeda é o fato de ser usada como a unidade de valor na qual os preços são fixados é o principal aspecto na teoria monetária dos preços (PTM) de Calvo. Veja Calvo (op. cit., 2013) e Lara Resende (op. cit., 2016).
15. Veja Arnon, op. cit., p. 365.
16. Woodford, op. cit., 2003.
17. John Cochrane (op. cit., 2011), após uma revisão detalhada da literatura sobre a indeterminação do nível de preços no mundo pós-keynesiano, conclui que "a regra de Taylor, no contexto dos modelos neokeynesianos, leva à mesma indeterminação do nível de preços provocada pelas metas fixas de juros". Para Woodford (op. cit., 2003), "isso significa que há um número infinito de diferentes possibilidades de respostas de equilíbrio para as variáveis endógenas diante de distúrbios reais". Veja-se Lara Resende (op. cit., 2016) sobre a indeterminação do nível de preços.
18. Ken Rogoff, em *The Curse of Cash* (Princeton: Princeton University Press, 2016) argumenta em favor da abolição da moeda em espécie como um modo de evitar o limite inferior a zero para as taxas nominais de juros

e também para dificultar as transações financeiras ligadas a atividades criminosas.

19. Como mencionado, o chamado mercado de Fed Funds foi reduzido de 250 bilhões de dólares por dia em 2007 para menos de 60 bilhões por dia em 2016. À medida que as reservas bancárias se tornam irrelevantes, a base de incidência da taxa de juros básica do Fed se reduz. Hoje, a sua principal variável de política não é mais a taxa dos Fed Funds, mas uma banda com um piso definido pela taxa de juros paga pelo excesso de reservas (IOER), e um teto definido pela taxa de juros cobrada sobre a insuficiência de reservas, a chamada Reverse Repo Rate.
20. Veja Cochrane, em "Monetary Policy with Interest on Reserves" (*Journal of Economic Dynamics and Control*, v. 49, pp. 74-108, 2014).
21. Veja Kindleberger (op. cit., 1978) e H. Minsky, em *Stabilizing the Unstable Economy* (Nova York: McGraw Hill, 1986).
22. Veja Blanchard, Cerutti e Summers, op. cit.
23. Evidência do pouco impacto que essa abertura de um hiato de capacidade ociosa tem sobre a inflação, com uma curva de Phillips relativamente achatada, pode ser encontrada em Blanchard, Cerutti e Summers, op. cit.

4. JUROS E CONSERVADORISMO INTELECTUAL [pp. 111-20]

1. Texto originalmente publicado no jornal *Valor Econômico* em 13 jan. 2017.
2. Veja Arida, Bacha e Lara Resende (op. cit., 2012); G. Franco, A. Lara Resende, S. Pessoa e M. Nakane, em *Por que os juros são altos no Brasil?* (*CLP Papers*, Centro de Liderança Pública, n. 6, set. 2011); A. Segura-Ubiergo, em "The Puzzle of Brazil's High Interest Rates" (*IMF Papers*, v. 62, fev. 2012); F. L. Lopes, em "On High Interest Rates in Brazil" (*Revista de Economia Política*, v. 34, n. 1, jan.-mar. 2014); Lara Resende, "A armadilha brasileira", em *Os limites do possível* (op. cit., 2013).
3. Veja P. Romer, em "The Trouble with Macroeconomics" (Stern School of Business, New York University, 14 set. 2016).
4. Veja Cochrane, em "Michelson-Morley, Occam and Fisher: The Radical Implications of Stable Inflation at Near-Zero Interest Rates" (Hoover Institution, Universidade de Stanford, dez. 2016).
5. Principal nome associado a TFNP e Christopher Sims, professor de Princeton premiado com o Nobel de Economia em 2011. Veja Sims em "A Simple Model for Study of the Determination of the Price Level and

the Interaction of Monetary and Fiscal Policy" (*Economic Theory*, v. 4, 1994).
6. Originalmente formulado por T. J. Sargent e N. Wallace em "Some Unpleasant Monetarist Arithmetic" (*Quarterly Review*, Federal Reserve Bank of Mineapolis, v. 5, n. 3, outono 1981).
7. Veja Arida, Bacha e Lara Resende (op. cit., 2012).
8. Veja Blanchard, em "Fiscal Dominance and Inflation Targeting: Lessons from Brazil", em F. Giabazzi et al. (Orgs.), *Inflation Targeting, Debt, and the Brazilian Experience, 1999 to 2003* (Cambridge: MIT Press, 2004).
9. Veja Sims, em "Fiscal Policy, Monetary Policy and Central Bank Independence" (Universidade Princeton, 23 ago. 2016); E. Loyo, "Tight Money Paradox on the Loose: A Fiscalist Hyperinflation" (John F. Kennedy School of Government, Universidade Harvard, jun. 1999).

5. TEORIA, PRÁTICA E BOM SENSO [pp. 121-7]

1. Texto originalmente publicado no jornal *Valor Econômico* em 27 jan. 2017.

6. DOMINÂNCIA FISCAL E NEOFISHERIANISMO [pp. 129-42]

1. Cochrane, op. cit., 2016.
2. Sargent e Wallace, "Rational Expectations, the Optimal Monetary Instrument, and the Optimal Money Supply Rule". *Journal of Political Economy*, v. 83, n. 2, 1975.
3. Id., op. cit., 1981.
4. A contribuição inicial é de E. M. Leeper, em "Equilibria Under Active and Passive Monetary and Fiscal Policies" (*Journal of Monetary Economics*, n. 27, 1991). Ela é retomada e desenvolvida por Sims (op. cit., 1994). Veja ainda os trabalhos de Woodford, em "Price Level Determinacy without Control of a Monetary Aggregate" (*Carnegie-Rochester Conference Series on Public Policy*, n. 43, v. 1, pp. 1-46, dez. 1995) e "Fiscal Requirements for Price Stability" (*Journal of Money, Credit and Banking*, v. 33, n. 3, 2001); Cochrane (op. cit., 2011); e Sims, "Stepping on a Rake: The Role of Fiscal Policy in the Inflation of the 1970s" (*European Economic Review*, v. 55, jan. 2011) e "Paper Money" (*American Economic Review*, v. 103, n. 2, abr. 2013).
5. Segundo Sims, esta é a ideia simples em que se baseia a TFNP. Ver Sims,

"Fiscal Policy, Monetary Policy and Central Bank Independence" (op. cit. Trabalho apresentado na conferência dos Bancos Centrais em Jackson Hole, em agosto de 2016).
6. Ibid.
7. O trabalho pioneiro é o de Loyo, "Tight Money Paradox on the Loose: A Fiscalist Hyperinflation", op. cit. O que ele chama de "Tight Money Paradox", que segundo o autor ocorre quando, "dados os déficits orçamentários primários, o aperto monetário leva a um crescimento mais rápido da riqueza externa e em geral a mais inflação que menos", é exatamente o caso da dominância fiscal inflacionária, ou DFI.
8. Vide, por exemplo, Calvo, em "Are High Interest Rates Effective for Stopping High Inflation? Some Skeptical Notes" (*The World Bank Economic Review*, v. 6, n. 1, 1992); e D. Cavallo, *Stagflation Effects of Monetarist Stabilization Policies* (Cambridge, Universidade Harvard, 1977, dissertação de ph.D.).
9. Cochrane, op. cit., 2016.

CONCLUSÃO: FORMALISMO E ORTODOXIA [pp. 143-61]

1. J. F. Muth, "Rational Expectations and the Theory of Price Movements". *Econometrica*, v. 29, n. 3, jul. 1961.
2. O trabalho que deu origem à teoria do RBC é de F. Kydland e E. Prescott, "Time to Build and Aggregate Fluctuations" (*Econometrica*, v. 50, n. 6, nov. 1982).
3. Romer, em "The Trouble With Macroeconomics" (op. cit. Trabalho apresentado em 2016 na The Commons Memorial Lecture of the Omicron Delta Epsilon Society, a ser publicado no jornal *The American Economist*), sustenta que os "proponentes do modelo do RBC citam seus fundamentos microeconômicos como uma de suas principais vantagens". Afirma ainda que Prescott, um dos formuladores originais do RBC, ensinava a seus alunos que uma eventual teoria dos correios seria mais importante do que a teoria monetária para entender o funcionamento da economia.
4. P. Romer, op. cit., em sua duríssima crítica à macroeconomia contemporânea, afirma que "permitir que as expectativas influenciem o comportamento torna o problema da identificação ao menos duas vezes mais grave". E cita Sims (1980), "Macroeconomics and Reality, *Econometrica*, n. 48, para quem "as expectativas racionais são mais profundamente subversivas para a identificação do que é ainda reconhecido".

5. Para P. Romer (op. cit., 2016), "With enough math, an author can be confident that most readers will never figure out where FWUTV is buried". FWUTV, do inglês "Facts With Unknown Truth Value" [Valores Reais Aparentemente Conhecidos], é como Romer prefere chamar os parâmetros arbitrariamente escolhidos para tornar o sistema identificável.
6. Para P. Romer, nas últimas três décadas, a macroeconomia não apenas deixou de progredir, mas regrediu intelectualmente.
7. P. Romer (op. cit., p. 18) usa um artigo de Robert Lucas, "Two Illustrations of the Quantity Theory of Money" (*The American Economic Review*, n. 70, dez. 1980), no qual ele estima que a demanda de moeda é proporcional ao nível de preços, como prevê a TQM, como ilustração do caso de seleção aviesada dos parâmetros capazes de identificar o modelo:

    > He found a way to filter the data to get the quantity theory result in the specific sample of the U.S. data that he considered (1953-77) and implicitly seems to have concluded that whatever the identifying assumptions were built into his filter must have been correct because the results that came out supported the quantity theory.

8. Sobre o debate entre Lippmann e Dewey, veja A. Lara Resende, "Atalhos perigosos", em *Os limites do possível* (op. cit., pp. 64-70).
9. Bolívar Lamounier, ao analisar a atual elite política brasileira, se pergunta:

    > E os economistas, como entram nessa história? Como categoria profissional, sua presença é tão ou até mais modesta do que a dos jornalistas... Por que uma profissão reconhecida como um símbolo de modernidade, antenada como nenhuma outra para os caminhos e os descaminhos da política pública, e altamente visível na mídia, permanece à margem dos organismos eletivos de representação política?
    >
    > (Trabalho de B. Lamounier, "A elite brasileira e os desafios da segunda década do século XXI", apresentado no seminário em homenagem aos 75 anos de Edmar Bacha, sediado na Casa das Garças, no Rio de Janeiro, em 2017.)

10. Sobre o papel e o poder dos economistas, veja M. R. Loureiro, *Os economistas no governo*, op. cit.; e também L. Sola, *Ideias econômicas, decisões políticas: Desenvolvimento e estabilidade* (São Paulo: Edusp, 1998); e ainda V. Montecinos e J. Markoff, *Economists in the Americas* (Northampton, MA: Edward Elgar, 2009).
11. No Brasil, ainda não há um sistema explícito de reservas bancárias remuneradas, mas o crescimento das chamadas operações compromissadas com lastro em títulos da dívida pública, que é equivalente a um sistema de reservas remuneradas, forçará o Banco Central a adotar as reservas

remuneradas para que o Tesouro não seja obrigado a emitir dívida apenas para servir de lastro às operações compromissadas. Veja artigos de diversos autores, especialmente o de C. Kawall, reunidos em E. L. Bacha (Org.), *A crise fiscal e monetária brasileira* (Rio de Janeiro: Civilização Brasileira, 2016).

REFERÊNCIAS BIBLIOGRÁFICAS

ABREU, Marcelo de Paiva (Org.). *A ordem do progresso: Cem anos de política econômica republicana —1889-1989*. Rio de Janeiro: Campus, 2011.

ACEMOGLU, D.; ROBINSON J. *Why Nations Fail: The Original of Power, Prosperity and Poverty*. Nova York: Random House, 2013.

ARIDA, P.; LARA RESENDE, A. "Inflação inercial e reforma monetária". In: ARIDA, P. (Org.). *Inflação zero*. Rio de Janeiro: Paz e Terra, 1986.

_____. "Crédito, juros e incerteza jurisdicional: Conjeturas sobre o caso do Brasil". In: BACHA, E. *Belíndia 2.0: Fábulas e ensaios sobre o país dos contrastes*. Rio de Janeiro: Civilização Brasileira, 2012, pp. 213-49.

ARIELY, D. *Predictably Irrational: The Hidden Forces That Shape Our Decisions*. Nova York: HarperCollins, 2008.

ARNON, A. *Monetary Theory and Policy from Hume and Smith to Wicksell: Money, Credit and the Economy*. Cambridge: Cambridge University Press, 2011.

AZARIADIS, C. "Implicit Contracts and Underemployment Equilibria". *Journal of Political Economy*, n. 83, 1975.

BACHA, E. L. (Org.). *A crise fiscal e monetária brasileira*. Rio de Janeiro: Civilização Brasileira, 2016.

BERNANKE, B. S. "The Macroeconomics of Great Depression: A Comparative Approach". *Journal of Money Credit and Banking*, v. 27, n. 1, fev. 1995.

BERNANKE, B. S.; GERTLER, M.; GILCHRIST, S. "The Financial Accelerator in a Quantitative Business Cycle". *NBER Working Paper*, Cambridge, n. 6455, 1998.

BERNANKE, B. S.; MIHOV, I. "Mesuring Monetary Policy". *Quarterly Journal of Economics*, n. 113, 1998.

BLANCHARD, O. *Macroeconomics*. 2. ed. Nova Jersey: Prentice Hall, 2000.

_____. "Fiscal Dominance and Inflation Targeting: Lessons from Brazil". In: GIABAZZI, F. et al. (Orgs.). *Inflation Targeting, Debt, and the Brazilian Experience, 1999 to 2003*. Cambridge: MIT Press, 2004

BLANCHARD, O.; CERUTTI, E.; SUMMERS, L. "Inflation and Activity: Two Explorations on Their Monetary Policy Implications". *IMF Working Paper*, v. 230, 2015.

CALVO, Guillermo A. "Are High Interest Rates Effective for Stopping High Inflation? Some Skeptical Notes". *The World Bank Economic Review*, v. 6, n. 1, pp. 55-69, 1992.

_____. "Capital Flows and Capital-Markets Crisis: The Simple Economics of Sudden Stops". *Journal of Applied Economics*, n. 1, 1998.

_____. "The Price Theory of Money, Prospero's Liquidity Trap and Sudden Stops". *NBER Working Paper*, Cambridge, n. 18 285, ago. 2012.

_____. "The Mayekawa Lecture: Puzzling over the Anatomy of Crises". *Monetary and Economic Studies*, v. 31, pp. 39-64, nov. 2013.

CAMPOS, Roberto. *A lanterna na popa*. Rio de Janeiro: Topbooks, 1994.

CAVALLO, D. *Stagflation Effects of Monetarist Stabilization Policies*. Cambridge: Universidade Harvard, 1977. Dissertação (ph.D.).

CLARIDA, R.; GALÍ, J.; GERTLER, M. "The Science of Monetary Policy: A New Keynesian Perspective". *Journal of Economic Literature*, v. XXXVII, pp. 1661-1707, dez. 1999.

COCHRANE, J. H. "Determinacy and Identification with Taylor Rules". *Journal of Political Economy*, v. 119, n. 3, pp. 565-615, jun. 2011.

_____. "Monetary Policy with Interest on Reserves". *Journal of Economic Dynamics and Control*, v. 49, pp. 74-108, 2014.

_____. "Michelson-Morley, Occam and Fisher: The Radical Implications of Stable Inflation at Near-Zero Interest Rates". Hoover Institution, Universidade de Stanford, dez. 2016. Disponível em: <faculty.

chicagobooth.edu/john.cochrane/research/papers/MM_occam_fisher.pdf>. Acesso em: 24 abr. 2017.

CORSETTI, G. "The Mystery of the Printing Press". In: European Economic Association, Schumpeter Lecture, 2015, Mannheim.

DORNBUSCH, R.; FISCHER, S. *Macroeconomics*. Nova York: McGraw-Hill, 1978.

FARO, L. C.; SUNELLI, M. *Roberto Simonsen: Prelúdio à indústria*. Curitiba: Insight, 2016.

FISCHER, S. "Long-Term Contracts, Rational Expectations and the Optimal Money Supply Rule". *Journal of Political Economy*, 1977.

FISHER, I. "The Debt-Deflation Theory of Great Depressions". *Econometrica*, v. 1, n. 4, out. 1993.

FRANCO, Gustavo H. B. "Por que juros tão altos, e o caminho para a normalidade". *CLP Papers: Por que os juros são altos no Brasil?*, Centro de Liderança Pública, n. 6, set. 2011.

FRIEDMAN, M. *The Counterrevolution in Monetary Theory*. Londres: IEA, 1970.

GOODHART, C. *Money, Information and Uncertainty*. Cambridge: MIT Press, 1989.

_____. "The Continuing Muddles of Monetary Theory: A Steadfast Refusal to Face Facts". Conferência em memória de Lionel Robbins, London School of Economics, 2009.

GUDIN, E. *Princípios de economia monetária*. São Paulo: Agir, 1965.

HAHN, F. H. "On Some Problems of Proving the Existence of an Equilibrium in a Monetary Economy". In: HAHN, F. H.; BRECHLING, F. P. R. (Orgs.) *The Theory of Interest Rates*. Londres: McMillan, 1965.

HICKS, John Richard. "Monetary Theory and History: An Attempt at Perspective". In: _____. *Critical Essays in Monetary Theory*. Oxford: Oxford University Press, 1967.

KAHNEMAN, D. *Thinking Fast and Slow*. Nova York: Farrar, Straus and Giroux, 2011.

KALDOR, N. "The New Monetarism". *Lloyds Bank Review*, v. 97, pp. 1-18, jul. 1970.

KIMBALL, M. S. "The Quantitave Analytics of the Basic Neomonetarist Model". *Journal of Money, Credit and Banking*, n. 27, 1995.

KINDLEBERGER, C. *Manias, Panics and Crashes: A History of Financial Crisis*. Hokoben: Wiley, 1978.

KYDLAND, Finn E.; PRESCOTT, Edward C. "Time to Build and Aggregate Fluctuations". *Econometrica*, v. 50, n. 6, nov. 1982.

LARA RESENDE, A. "A moeda indexada: uma proposta para eliminar a inflação inercial". *Gazeta Mercantil*, 1985a.

_____. "A taxa de juros no Brasil: Equívoco ou jabuticaba?". *CLP Papers: Por que os juros são altos no Brasil?*, Centro de Liderança Pública, n. 6, set. 2011.

_____. *Os limites do possível*. São Paulo: Portfolio-Penguin, 2013.

_____. "The Theory of Monetary Policy: Reflections on a Winding and Inconclusive Road". Rio de Janeiro: Ipea; Casa das Garças, fev. 2016. Disponível em: <iepecdg.com.br/wp-content/uploads/2016/03/The--Theory-of-Monetary-Policy5.pdf>. Acesso em: 26 abr. 2017.

LEEPER, E. M. "Equilibria Under Active and Passive Monetary and Fiscal Policies". *Journal of Monetary Economics*, n. 27, 1991

LOPES, Francisco Lafaiete. "On High Interest Rates in Brazil". *Revista de Economia Política*, v. 34, n. 1, jan.-mar. 2014.

LOUREIRO, Maria Rita. "A emergência dos economistas como elites dirigentes no Brasil: 1930-64". In: _____. *Os economistas no governo: Gestão econômica e democracia*. Rio de Janeiro: Editora FGV, 1997.

LOYO, E. "Tight Money Paradox on the Loose: A Fiscalist Hyperinflation". John F. Kennedy School of Government, Universidade Harvard, jun. 1999. Disponível em: <sims.princeton.edu/yftp/Loyo/LoyoTightLoose.pdf>. Acesso em: 24 abr. 2017.

LUCAS, R. E.; STOKEY, N. L. "Money and Interest in a Cash-in-Advance Economy". *Econometrica*, v. 55, n. 3, 1987.

MENGER, C. "On the Origins of Money". Trad. de C. A. Foley. *Economic Journal*, n. 2, pp. 239-55, 1892.

MINSKY, H. *Stabilizing the Unstable Economy*. Nova York: McGraw Hill, 1986.

MONTECINOS, V.; MARKOFF, J. *Economists in the Americas*. Northampton, MA: Edward Elgar, 2009.

MUTH, J. F. "Rational Expectations and the Theory of Price Movements". *Econometrica*, v. 29, n. 3, jul. 1961.

NAKANE, M.; PESSOA, S. "O processo de formação da taxa de juros no Brasil". *CLP Papers: Por que os juros são altos no Brasil?*, Centro de Liderança Pública, n. 6, set. 2011.

NOYOLA, J. F. "El desarollo económico y la inflación en México y otros países latinoamericanos". *Investigación Económica*, v. XVI, n. 4, pp. 604-25, out.-dez. 1956.

OLIVERA, J. H. G. "La Teoría no Monetaria de la Inflación". *El Trimestre Económico*, v. 27, n. 108, out.-dez. 1960.

PATINKIN, D. *Money, Interest and Prices: An Integration of Monetary and Value Policy*. 2. ed. Nova York: Harper and Row, 1965.

PELAEZ, C. M.; Suzigan, W. *História monetária do Brasil: Análise da política, comportamento e instituições monetárias*. Rio de Janeiro: Ipea; Inpes, 1976.

PINHO NETO, D. M. *A política econômica no interregno Café Filho*. Rio de Janeiro: PUC, 1986. Dissertação (Mestrado em Economia).

ROGOFF, K. *The Curse of Cash*. Princeton: Princeton University Press, 2016.

ROMER, Paul. "The Trouble with Macroeconomics". Stern School of Business, New York University, 14 set. 2016

SARGENT, T. J.; WALLACE, N. "Rational Expectations, the Optimal Monetary Instrument, and the Optimal Money Supply Rule". *Journal of Political Economy*, v. 83, n. 2, 1975.

_____. "Some Unpleasant Monetarist Arithemetic". *Quarterly Review*, Federal Reserve Bank of Mineapolis, v. 5, n. 3, outono 1981.

SCHUMPETER, J. A. *History of Economic Analysis*. Londres: Allen &Unwin, 1954.

SEGURA-UBIERGO, Alex. "The Puzzle of Brazil's High Interest Rates". *IMF Papers*, v. 62, fev. 2012.

SIMONSEN, M. H. *Inflação: Gradualismo versus tratamento de choque*. Rio de Janeiro: Apec, 1970.

SIMONSEN, M. H.; GUDIN, E. *A controvérsia do planejamento na economia brasileira*. 3. ed. Brasília: Ipea, 2010.

SIMS, C. "A Simple Model for Study of the Determination of the Price Level and the Interaction of Monetary and Fiscal Policy". *Economic Theory*, v. 4, pp. 381-99, 1994.

_____. "Stepping on a Rake: The Role of Fiscal Policy in the Inflation of the 1970s". *European Economic Review*, v. 55, pp. 48-56, jan. 2011.

_____. "Paper Money". *American Economic Review*, v. 103, n. 2, abr. 2013.

_____. "Fiscal Policy, Monetary Policy and Central Bank Independence". Universidade Princeton, 23 ago. 2016. Disponível em: <sims.princeton.edu/yftp/JacksonHole16/JHpaper.pdf>. Acesso em: 26. abr. 2017.

SOLA, L. *Ideias econômicas, decisões políticas: Desenvolvimento e estabilidade*. São Paulo: Edusp, 1998.

SUNKEL, O. "La inflación chilena: Un enfoque heterodoxo". *El Trimestre Económico*, v. 25, n. 4, pp. 570-99, out.-dez. 1958.

TAYLOR, J. "Staggered Wage Setting in a Macro Model". *American Economic Review*, v. 69, n. 2, 1979.

WICKSELL, K. *Interest and Prices*. Tradução de R. F. Hahn. Londres: MacMillan, 1936.

WOODFORD, M. "Price Level Determinacy Without Control of a Monetary Aggregate". *Carnegie-Rochester Conference Series on Public Policy*, n. 43, v. 1, pp. 1-46, dez. 1995.

_____. "Monetary Policy in a World Without Money". *NBER Working Paper*, Cambridge, n. 7853, ago. 2000. Disponível em: <http://www.nber.org/papers/w7853.pdf>. Acesso em: 24 abr. 2017.

_____. "Fiscal Requirements for Price Stability". *Journal of Money, Credit and Banking*, v. 33, n. 3, 2001.

_____. *Interest & Prices: Foundations of a Theory of a Monetary Policy*. Princeton: Princeton University Press, 2003.

YUN, Tack. "Nominal Price Rigidity, Money Supply Endogeneity and Business Cycles". *Journal of Monetary Economics*, n. 37, 1996.

TIPOLOGIA Miller e Akzidenz
DIAGRAMAÇÃO acomte
PAPEL Pólen, Suzano S.A.
IMPRESSÃO Gráfica Paym, setembro de 2024

A marca FSC® é a garantia de que a madeira utilizada na fabricação do papel deste livro provém de florestas que foram gerenciadas de maneira ambientalmente correta, socialmente justa e economicamente viável, além de outras fontes de origem controlada.